M000158807

The
LITTLE BLACK
SONGBOOK

21st CENTURY HITS

Published by
Wise Publications
14-15 Berners Street, London W1T 3LJ,
United Kingdom.

Exclusive distributors:
Music Sales Limited
Distribution Centre,
Newmarket Road, Bury St Edmunds, Suffolk, IP33 3YB,
United Kingdom.
Music Sales Pty Limited
20 Resolution Drive, Caringbah, NSW 2229, Australia.

Order No. AM1001121
ISBN 978-1-84938-617-3

Compiled by Nick Crispin.
Music edited by Adrian Hopkins.
Music arranged by Matt Cowe.
Music engraved by Paul Ewers Music Design.
Cover designed by Michael Bell Design.

Printed in E.U.

www.musicsales.com

Wise Publications
part of The Music Sales Group
London / New York / Paris / Sydney / Copenhagen / Berlin / Madrid / Hong Kong / Tokyo

A-Punk

Words by Ezra Koenig
Music by Christopher Baio, Rostam Batmanglij, Ezra Koenig & Christopher Tomson

Intro ‖: A   G | D   :‖ *play 3 times*

‖: A*   G* | D*   :‖

Verse 1

```
     A          G      D
Jo - anna drove slowly into the city,
     A        G        D
The Hudson River all filled with snow,
     A         G        D
She spied the ring on his honour finger,
A*  G*  D*  A*  G*  D*
Oh, oh, oh.
     A          G        D
A thousand years in one piece of silver,
       A       G        D
She took it from his lily-white hand,
A          G        D
Showed no fear she'd seen the thing,
       A*          G*      D*              A*  G*  D*
In the young men's wing at Sloan-Kettering.
```

Link 1 | D A7/D D** D | G/D   D** D |

| D A7/D D** D | G/D   D** |

Chorus 1

```
D            A7/D      D**      D        G/D  D** D
Look out - side at the raincoats coming, say oh!
D            A7/D      D**      D        G/D
Look out - side at the raincoats coming, say oh!
```

Link 2

A G D
    Hey! Hey! Hey! Hey!

A G D
    Hey! Hey! Hey!

Verse 2

    A   **G**   **D**
His honor drove southward seeking exotica,

A   **G**   **D**
Down to the Pueblo huts of New Mexico,

A   **G**   **D**
Cut his teeth on turquoise harmonicas,

A* G* D* A* G* D*
Oh, oh, oh.

A   **G** **D**
I saw Jo - anna down in the subway,

     A   **G**   **D**
She took an a - partment in Washington Heights,

A   **G**   **D**
Half of the ring lies here with me,

        A* **G***   **D***   **A* G* D***
But the other half's at the bottom of the sea.

Link 3

| D A7/D D** D | G/D D** D |

| D A7/D D** D | G/D D** |

Chorus 2

D   **A7/D**   **D****   **D**   **G/D D** D**
Look outside at the raincoats coming, say oh!

D   **A7/D**   **D****   **D**   **G/D D****
Look outside at the raincoats coming, say oh!

D   **A7/D**   **D****   **D**   **G/D D** D**
Look outside at the raincoats coming, say oh!

D   **A7/D**   **D****   **D**   **G/D**
Look outside at the raincoats coming, say oh!

Outro

A G D
    Hey! Hey! Hey! Hey!

A G D
    Hey! Hey! Hey! Hey!

Are You Gonna Be My Girl

Words & Music by Nic Cester & Cameron Muncey

Intro

‖: A | A | A | A |

| A | A | A | A :‖ *Bass only*

| A | A | A | A |
Go!
| A | A | A | A ‖ *Guitar*

Verse 1

A N.C.
Said 1, 2, 3, take my hand and come with me,

Because you look so fine,

A
That I really wanna make you mine.

N.C.
I say you look so fine,

A
That I really wanna make you mine.

N.C.
Oh, 4, 5, 6 c'mon and get your kicks,

Now you don't need money,

A
When you look like that, do ya honey?

Bridge 1

D   C   G
  Big black boots,
D   C   G
  Long brown hair,
D
  She's so sweet,
C   G   D
With her   get back stare.

A
Well I could see,

C
You home with me,

D   **A**
But you were with another man, yeah!

                              C
I know we ain't got   much to say,

D   **A**
Before I let you get a - way, yeah!

| **E** | **E** | **G** | **G**   ‖

N.C.
I said, are you gonna be my girl?

Link

| **A** | **A** | **A** | **A** |

| **A** | **A** | **A** | **A**   ‖

Verse 2

                    A N.C.
Well, it's a 1, 2, 3, take my hand and come with me,

Because you look so fine,

                              D
That I really wanna make you mine.

                    N.C.
I say you look so fine,

                              D
That I really wanna make you mine.

          N.C.
Oh, 4, 5, 6 c'mon and get your kicks,

Now you don't need money,

                              D
With a face like that, do ya?

| *Bridge 2* | As Bridge 1 |

| *Chorus 2* | As Chorus 1 |

Link

| A | A | A | A |

| A | A | A | A ‖

Guitar solo

| A | A | C | C | D | D | A | A ‖
Oh yeah.   Oh   yeah.

| A | A | C | C | D | D | A | A ‖
C'mon!

Chorus 3

A
  I could see,

C
  You home with me,

D   **A**
  But you were with another man, yeah!

                C
I know we ain't got   much to say,

D   **A**
  Before I let you get a - way, yeah!

Uh, be my girl.

C
  Be my girl.

D   **A**   **G** **D**
  Are you gonna be my   girl,   yeah?

Beautiful Day

Words by Bono
Music by U2

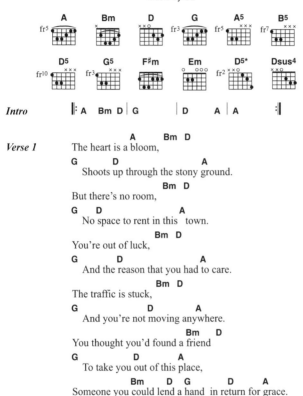

Intro   ‖: A   Bm D | G | D   A | A   :‖

Verse 1

                    A   Bm D
          The heart is a bloom,
          G   D   A
             Shoots up through the stony ground.
                                    Bm D
          But there's no room,
          G   D   A
             No space to rent in this   town.
                                    Bm D
          You're out of luck,
          G   D   A
             And the reason that you had to care.
                                    Bm D
          The traffic is stuck,
          G   D   A
             And you're not moving anywhere.
                                              Bm   D
          You thought you'd found a friend
          G   D   A
             To take you out of this place,
                              Bm   D   G   D   A
          Someone you could lend a hand in return for grace.

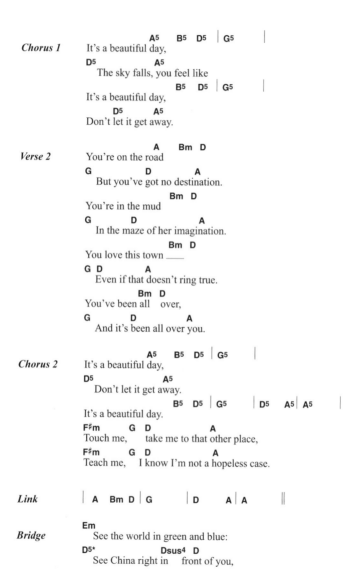

Chorus 1

               A⁵   **B⁵** **D⁵** | **G⁵** |
It's a beautiful day,

D⁵   **A⁵**
  The sky falls, you feel like

               B⁵ **D⁵** | **G⁵** |
It's a beautiful day,

       D⁵   **A⁵**
Don't let it get away.

Verse 2

              A   **Bm** **D**
You're on the road

G   **D**   **A**
  But you've got no destination.

             Bm **D**
You're in the mud

G   **D**   **A**
  In the maze of her imagination.

             Bm **D**
You love this town ____

G **D**   **A**
  Even if that doesn't ring true.

         Bm **D**
You've been all   over,

G   **D**   **A**
  And it's been all over you.

Chorus 2

               A⁵   **B⁵** **D⁵** | **G⁵** |
It's a beautiful day,

D⁵   **A⁵**
  Don't let it get away.

               B⁵ **D⁵** | **G⁵** | **D⁵** **A⁵**| **A⁵** |
It's a beautiful day.

F♯m   **G** **D**   **A**
Touch me,   take me to that other place,

F♯m   **G** **D**   **A**
Teach me,   I know I'm not a hopeless case.

Link

 | **A** **Bm** **D** | **G** | **D**   **A** | **A**   ‖

Bridge

Em
  See the world in green and blue:

D⁵*   **Dsus⁴** **D**
  See China right in   front of you,

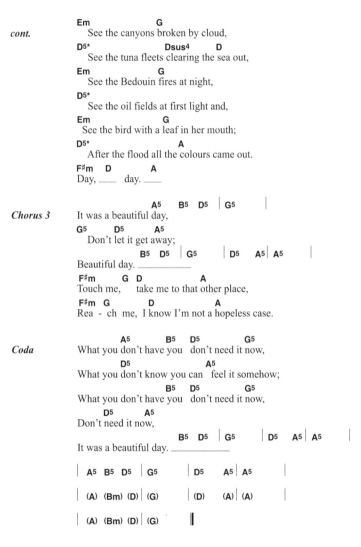

cont.

Em   **G**
See the canyons broken by cloud,

D⁵*   **Dsus⁴**   **D**
See the tuna fleets clearing the sea out,

Em   **G**
See the Bedouin fires at night,

D⁵*
See the oil fields at first light and,

Em   **G**
See the bird with a leaf in her mouth;

D⁵*   **A**
After the flood all the colours came out.

F♯m   **D**   **A**
Day, ____ day. ____

Chorus 3

                              A⁵   **B⁵**   **D⁵** │ **G⁵**   │
It was a beautiful day,

G⁵   **D⁵**   **A⁵**
Don't let it get away;

                      B⁵   **D⁵** │ **G⁵**   │ **D⁵**   **A⁵**│ **A⁵**   │
Beautiful day. ____

F♯m   **G** **D**   **A**
Touch me,   take me to that other place,

F♯m **G**   **D**   **A**
Rea - ch me, I know I'm not a hopeless case.

Coda

                A⁵   **B⁵**   **D⁵**   **G⁵**
What you don't have you   don't need it now,

                D⁵   **A⁵**
What you don't know you can   feel it somehow;

                B⁵   **D⁵**   **G⁵**
What you don't have you   don't need it now,

        D⁵   **A⁵**
Don't need it now,

                        B⁵   **D⁵** │ **G⁵**   │ **D⁵**   **A⁵**│ **A⁵**   │
It was a beautiful day. ____

│ **A⁵** **B⁵** **D⁵** │ **G⁵**   │ **D⁵**   **A⁵**│ **A⁵**   │

│ **(A)** **(Bm)** **(D)**│ **(G)**   │ **(D)**   **(A)**│ **(A)**   │

│ **(A)** **(Bm)** **(D)**│ **(G)**   ‖

11

Best Of You

Words & Music by Dave Grohl, Taylor Hawkins, Nate Mendel & Chris Shiflett

C#m7   A5add9   B5add4   F#7add11   C#5   B5   A5   F#5

Verse 1

N.C.   C#m7
I've got another con - fession to make,
            A5add9
I'm your fool,
                              C#m7
Everyone's got their chains   to break,
            A5add9
Holding you.
                    B5add4   A5add9
Were you born to resist,   or be abused?

Chorus 1

        A5add9
    Is someone getting
        C#m7   B5add4   A5add9
The best,   the best, the best,   the best of you?

    Is someone getting
        C#m7   B5add4   A5add9
The best,   the best, the best,   the best of you?
C#m7   B5add4   A5add9
Are you gone and on   to someone new?

Verse 2

                              C#m7
I needed somewhere to hang   my head,
                A5add9
Without your noose.
                              C#m7
You gave me something that I didn't have,
            A5add9
But had no use.
                    B5add4   A5add9
I was too weak to give in,   too strong to lose.

Verse 3

                       C♯m7
My heart is under arrest   again,

          A5add9
But I break loose.

                   C♯m7
My head is giving me life   or death,

              A5add9
But I can't choose.

                 B5add4
I swear I'll never give in,

      A5add9
I refuse.

Chorus 2

A5add9
  Is someone getting

        C♯m7   **B5add4**   **A5add9**
The best,   the best, the best,   the best of you?

F♯7add11
  Is someone getting

        C♯m7   **B5add4**   **A5add9**
The best,   the best, the best,   the best of you?

F♯7add11   **C♯m7**
  Has someone taken your   faith, it's real,

     B5add4   **A5add9**   **F♯7add11**
The pain   you feel, your trust - you must con - fess.

  Is someone getting

        C♯m7   **B5add4**   **A5add9**
The best,   the best, the best,   the best of you?

Interlude

F♯7add11
  Oh.——

| **C♯m7** | **C♯m7** | **A5add9** | **A5add9** |

| **C♯m7** | **C♯m7** | **A5add9** | **F♯7add11** ‖

‖: **B5add4** | **B5add4** |
  Oh.——
| **A5add9** | **A5add9** :‖
  Oh.——

13

Chorus 3

A⁵add⁹   **C♯5**
Has someone taken your faith,   it's real,

B⁵
The pain you feel?

A⁵   **F♯5**
The life, the love, you die to heal.

    C♯5   **B⁵**
The hope that stops, the bro - ken hearts,

        A⁵   **F♯5**
Your trust,   you must confess.

Is someone getting

    C♯5   **B⁵**   **A⁵**
The best,   the best, the best,   the best of you?
F♯7add11
Is someone getting

    C♯5   **B⁵**   **A⁵**
The best,   the best, the best,   the best of you?
F♯7add11   **C♯m⁷**
I've got another confession my friend,

           A⁵add⁹
I'm no fool.

                C♯m⁷
I'm getting tired of starting again,

                A⁵add⁹
Somewhere new.

                B⁵   **A⁵add⁹**
Were you born to resist,   or be abused?

                B⁵
I swear I'll never give in,

            A⁵add⁹
I refuse.

Chorus 3   As Chorus 2

Outro   ‖: **C♯m⁷** | **C♯m⁷** | **C♯m⁷** | **C♯m⁷** :‖

Bleeding Love

Words & Music by Ryan Tedder & Jesse McCartney

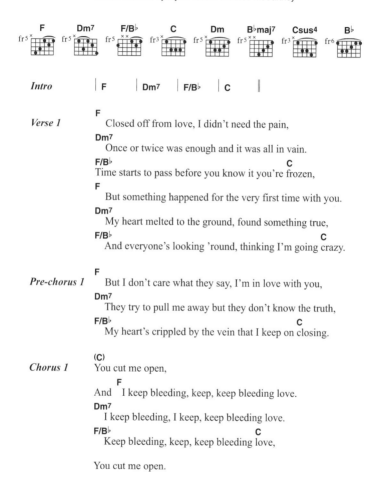

F	fr5	
Dm7	fr5	
F/B♭	fr5	
C	fr3	
Dm	fr5	
B♭maj7	fr5	
Csus4	fr3	
B♭	fr6	

Intro | F | Dm7 | F/B♭ | C   ‖

Verse 1

F
 Closed off from love, I didn't need the pain,
Dm7
 Once or twice was enough and it was all in vain.
F/B♭   C
Time starts to pass before you know it you're frozen,
F
 But something happened for the very first time with you.
Dm7
 My heart melted to the ground, found something true,
F/B♭   C
 And everyone's looking 'round, thinking I'm going crazy.

Pre-chorus 1

F
 But I don't care what they say, I'm in love with you,
Dm7
 They try to pull me away but they don't know the truth,
F/B♭   C
 My heart's crippled by the vein that I keep on closing.

Chorus 1

(C)
You cut me open,
              F
And   I keep bleeding, keep, keep bleeding love.
Dm7
 I keep bleeding, I keep, keep bleeding love.
F/B♭   C
 Keep bleeding, keep, keep bleeding love,

You cut me open.

Link 1
     F
     Oh.____

Verse 2
     F
     Trying hard not to hear but they talk so loud,
     Dm⁷
     Their piercing sounds fill my ears try to fill me with doubt.
     F/B♭   **C**
     Yet I know that the goal is to keep me from falling,
     F
     But nothing's greater than the rush that comes with your embrace.
     Dm⁷
     And in this world of loneliness I see your face,
     F/B♭   **C**
     Yet everyone around me thinks that I'm going crazy,

     Maybe, maybe.

Pre-chorus 2   As Pre-chorus 1

Chorus 2   As Chorus 1

Bridge
     Dm   **B♭maj⁷**
     And it's draining all of me,
                           Csus⁴
     Oh, they find it hard to be - lieve,

     I'll be wearing these scars for everyone to see.

Pre-chorus 3
     Dm⁷
     I don't care what they say, I'm in love with you,
     F/B♭
     They try to pull me away but they don't know the truth,
     Csus⁴
     My heart's crippled by the vein that I keep on closing.

Chorus 3

(Csus4)
Ooh, you cut me open,

Dm7
And I keep bleeding, keep, keep bleeding love.

F/B♭
I keep bleeding, I keep, keep bleeding love.

Csus4
Keep bleeding, keep, keep bleeding love.

Chorus 4

(Csus4)
Oh, you cut me open,

Dm7
And I keep bleeding, keep, keep bleeding love.

F/B♭
I keep bleeding, I keep, keep bleeding love.

Csus4
Keep bleeding, keep, keep bleeding love.

Outro

(Csus4)
Ooh, you cut me open,

Dm7   **B♭**   **F**   **C**   **Dm**
And I keep bleeding, keep, keep bleeding love.

Broken Strings

Words & Music by James Morrison, Fraser T. Smith & Nina Woodford

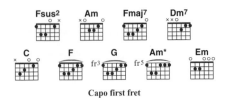

Capo first fret

Intro | **Fsus2** ‖

Verse 1
Am
Let me hold you for the last time,

Fmaj7
It's the last chance to feel again.

Am   **Fmaj7** **Dm7**
But you broke me, now I can't feel any - thing.

Am
When I love you and so untrue,

Fmaj7
I can't even convince myself.

Am   **C**   **F**   **Dm7**
When I'm speaking it's the voice of someone else.

Pre-chorus 1
(Dm7) F   **G**   **Am***
Oh, it tears me up,

F   **G**   **Em**
I tried to hold on but it hurts too much.

F   **G**   **Em**
I tried to for - give but it's not enough,

F
To make it all okay.

Chorus 1

   Em   **Dm7**   **Am**
You can't play our broken strings,

           C   **G**
You can't feel any - thing,

           Dm7   **Am**
That your heart don't want to feel.

        C   **G**
I can't tell you something that ain't real.

       F   **Am**
Oh, the truth hurts and lies worse,

C   **G**
How can I give any - more,

       Dm7   **Am**   **G**
When I love you a little less than be - fore?

Verse 2

   (G)   **Am**
Oh, what are we doing?

      Fmaj7
We are turning into dust,

         Am   **Fmaj7** **Dm7**
Playing house in the ruins of us.

         Am
Running back through the fire,

         Fmaj7
When there's nothing left to save.

         Am   **C**
It's like chasing the very last train,

             F   **Dm7**
When it's too late, too late.

Pre-chorus 2   As Pre-chorus 1

Chorus 2   As Chorus 1

Bridge 1

   (G)   **F**   **Am**
But we're running through the fire,

         C   **F**
When there's nothing left to save.

          Am
It's like chasing the very last train,

         C   **Em**
When we both know it's too late, too late.

Chorus 3

(Em)   Dm⁷   Am
You can't play our broken strings,

           C   G
You can't feel any - thing,

          Dm⁷   Am
That your heart don't want to feel.

          C   G
I can't tell you something that ain't real.

        F   Am
Oh, the truth hurts and lies worse,

C   G
How can I give any - more,

       Dm⁷   Am   G
When I love you a little less than be - fore?

               Dm⁷   Am   G
Oh, you know that I love you a little less than be - fore.

Outro

(G)   Am   C
Let me hold you for the last time,

          G   F
It's the last chance to feel a - gain.

Chasing Pavements

Words & Music by Adele & Eg White

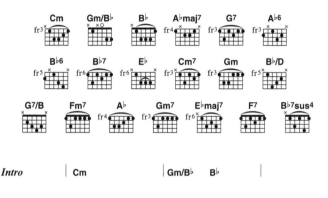

Intro	| **Cm**	| **Gm/B♭** **B♭** |

Verse 1

       Cm
I've made up my mind,

       Gm/B♭   **B♭**
Don't need to think it over,

       A♭maj7
If I'm wrong, I am right,

       G7
Don't need to look no further,

          A♭6 **B♭6** **B♭7** **E♭** **Cm7**
This ain't lust, I know this is love.

Verse 2

       Gm   **E♭**
But if I tell the world,

        B♭/D
I'll never say enough,

           Cm
'Cause it was not said to you,

            G7/B   **G7**
And that's ex - actly what I need to do,

     A♭6 **B♭6** **B♭7**
If I end up   with you.

Chorus 1

A♭maj⁷
Should I give up,

Gm Cm   Fm⁷   A♭
   Or should I just keep chasing pavements?

A♭6   Gm⁷   G⁷
Even if it leads no - where?

   A♭maj⁷   Gm
Or would it be a waste,

Cm Fm⁷   A♭   A♭6   G⁷
Even if I knew my place, should I leave it there?

A♭maj⁷
Should I give up,

Gm Cm   Fm⁷   A♭
   Or should I just keep chasing pavements?

A♭6   Gm⁷   E♭maj⁷
Even if it leads nowhere?

Verse 3

    Cm
I build myself up,

    Gm/B♭   B♭
And fly   around in circles,

       A♭maj⁷
Waiting as my heart drops,

     G⁷
And my back begins to tingle,

    A♭6   B♭6   B♭7
Final - ly   could this be it?

Chorus 2

A♭maj⁷
Or should I give up,

Gm Cm   Fm⁷   A♭
   Or should I just keep chasing pavements?

A♭6   Gm⁷   G⁷
Even if it leads no - where?

   A♭maj⁷   Gm
Or would it be a waste,

Cm Fm⁷   A♭   A♭6   G⁷
Even if I knew my place, should I leave it there?

A♭maj7
Should I give up,

Gm Cm   Fm7   A♭
   Or should I just keep chasing pavements?

A♭6   Gm7   E♭
Even if it leads nowhere? Yeah.

Chorus 3

A♭
Should I give up,

      Gm
Or should I just keep chasing pavements?

     A♭6   B♭7
Even if it leads no - where?

       A♭
Or would it be a waste,

   G7
Even if I knew my place,

       F7
Should I leave it there?

     B♭7sus4
Should I give up,

      A♭maj7   Gm Cm   Fm7
Or should I just keep on   chasing   pavements?

A♭   Gm7   Cm   Fm7   A♭ A♭6 B♭
   Should I just keep on   chasing   pavements? Oh.

Chorus 4

A♭maj7
Should I give up,

Gm   Cm   Fm7   A♭
   Or should I just keep chasing pavements?

A♭6   Gm7   G7
Even if it leads nowhere?

   A♭maj7   Gm
Or would it be a waste,

Cm   Fm7   A♭   A♭6   G7
Even if I knew my place, should I leave it there?

A♭maj7
Should I give up,

Gm   Cm   Fm7   A♭
   Or should I just keep chasing pavements?

A♭6   Gm7   E♭
Even if it leads nowhere?__

Chasing Cars

Words & Music by Paul Wilson, Gary Lightbody,
Jonathan Quinn, Nathan Connolly & Tom Simpson

A5   A5*   E/G#   D5/A   A   E/G#*   Dsus2

Intro | A5 | A5   ‖

Verse 1
      A5*   E/G#   D5/A   A5*
   We'll do it all,   everything   on our own.
                  E/G#   D5/A   A5*
We don't need   anything   or anyone.

Chorus 1
            A   E/G#*
If I lay here, if I just lay here,
             Dsus2   A
Would you lie with me and just forget the world?

Verse 2
      A5*   E/G#   D5/A   A5*
   I don't quite know   how to say   how I feel.
                E/G#   D5/A   A5*
Those three words   are said too much,   they're not enough.

Chorus 2
            A   E/G#*
If I lay here, if I just lay here,
             Dsus2   A
Would you lie with me and just forget the world?
                            E/G#*
Forget what we're told before we get too old,
           Dsus2   A
Show me a garden that's bursting into life.

Verse 3

A5*   E/G♯   D5/A   A5*

Let's waste time   chasing cars   around our heads.

               E/G♯   D5/A   A5*

I need your grace   to remind me   to find my own.

Chorus 3

        A   E/G♯*

If I lay here, if I just lay here,

             Dsus2   A

Would you lie with me and just forget the world?

                      E/G♯*

Forget what we're told before we get too old,

            Dsus2   A

Show me a garden that's bursting into life.

Bridge 1

                    E/G♯*

All that I am, all that I ever was

           Dsus2   A

Is here in your perfect eyes, they're all I can see.

                    E/G♯*

I don't know where, confused about how as well,

                Dsus2   A

Just know that these things will never change for us at all.

Chorus 4

        A5*   E/G♯

If I lay here, if I just lay here,

           D5/A   A5*

Would you lie with me and just forget the world?

Can't Get You Out Of My Head

Words & Music by Cathy Dennis & Rob Davis

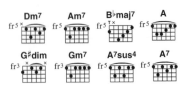

Intro ‖: Dm7 | Am7 | Dm7 | Am7   :‖

Link 1
Dm7
La la la, la la la la la,
Am7
La la la, la la la la la.
Dm7
La la la, la la la la la,
Am7
La la la, la la la la la.

Chorus 1
Dm7
I just can't get you out of my head,
Am7
Boy your loving is all I think about.
Dm7
I just can't get you out of my head,
Am7
Boy it's more than I dare to think about.

Link 2
Dm7
La la la, la la la la la,
Am7
La la la, la la la la la.

Chorus 2
Dm7
I just can't get you out of my head,
Am7
Boy, your loving is all I think about.

	Dm7
cont.	I just can't get you out of my head,

Dm7

cont. I just can't get you out of my head,

        Am7
Boy, it's more than I dare to think about.

B♭maj7 A
Verse 1 Every night,

G♯dim A
Every day,

Gm7   **A7sus4**
Just to be there in your arms,

          Dm7   **Am7**
Won't you stay?_____

          Dm7   **Am7**
Won't you   lay,_____

          B♭maj7   **A7**
Stay for - ever and ever and ever and ever.

Link 3 As Link 1

Chorus 3 As Chorus 2

B♭maj7   **A**   **G♯dim**   **A**
Verse 2 There's a dark secret in   me,

Gm7   **A7sus4**
Don't leave me locked in your heart.

        Dm7   **Am7**
Set me free,____

        Dm7   **Am7**
Feel the   need____ in me,

        Dm7   **Am7**
Set me free,____

          B♭maj7   **N.C.**   **A7**
Stay for - ever and ever and ever and ever.

Link 4 As Link 1

        Dm7
Outro ‖: I just can't get you out of my head,

Am7
(La la la, la la la la la.) :‖ *Repeat to fade*

Complicated

Words & Music by Avril Lavigne, Lauren Christy, Scott Spock & Graham Edwards

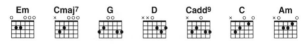

Tune down one whole tone

Intro

Em Cmaj7
    Uh huh,

G D
    Life's like this.

Em   Cmaj7   G   D | Em   Cmaj7 ‖
    Uh huh,   uh huh, that's the way it is.

G   D
    'Cause life's like this,

Em   Cmaj7 G   D
    Uh huh, uh huh   that's the way it is.

Verse 1

G
    Chill out whatcha yelling' for?

Em
    Lay back, it's all been done before,

Cadd9   D
    And if you could only let it be you will see.

G
    I like you the way you are,

Em
    When we're drivin' in your car,

Cadd9   D
    And you're talking to me, one on one but you've become,

Bridge 1

Cadd9
Somebody else round everyone else,

       Em
You're watching your back like you can't relax.

       Cadd9   D
You're tryin' to be cool, you look like a fool to me.   .

Tell me,

Chorus 1

Em   **C**   **G**
Why'd you have to go and make things so complicated?
  D
I see the way you're
Em   **C**   **G**
Acting like you're somebody else gets me frustrated
D
Life's like this you,
Em   **C**
  And you fall and you crawl and you break,
       G   **D**
And you take what you get and you turn it into
Am   **C**
Honesty and promise me, I'm never gonna find you fake it,
         G
No, no, no.

Verse 2

G
  You come over unannounced,
Em
  Dressed up like you're somethin' else,
Cadd9   **D**
  Where you are and where it's at you see,

You're making me
G
  Laugh out when you strike your pose,
Em
  Take off all your preppy clothes,
Cadd9   **D**
  You know you're not fooling anyone,

When you've become

Bridge 2   As Bridge 1

Chorus 2   As Chorus 1

Interlude | (G) | Em | Cadd9 | D   ‖

Verse 3

   G
     Chill out whatcha yelling for?

Em
     Lay back, it's all been done before,

Cadd⁹   **D**
     And if you could only let it be, you will see

Bridge 3   As Bridge 1

     Em   **C**   **G**
Chorus 3 Why'd you have to go and make things so complicated?

     D
     I see the way you're

     Em   **C**   **G**
     Acting like you're somebody else gets me frustrated

     D
     Life's like this you,

     Em   **C**
       And you fall and you crawl and you break,

          G   **D**
     And you take what you get and you turn it into

     Am   **C**
     Honesty and promise me, I'm never gonna find you fake it, no, no

     Em   **C**   **G**
Chorus 4 Why'd you have to go and make things so complicated?

     D
     I see the way you're

     Em   **C**   **G**
     Acting like you're somebody else gets me frustrated.

     D
     Life's like this you,

     Em   **C**
       And you fall and you crawl and you break,

          G   **D**
     And you take what you get and you turn it into

     Am   **C**
     Honesty and promise me, I'm never gonna find you fake it, no, no, no.

Dakota

Words & Music by Kelly Jones

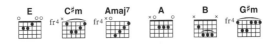

Intro
‖: E | C♯m | Amaj⁷ | E :‖

Verse 1

   E   C♯m
Thinking back, thinking of you,

                    Amaj⁷
Summertime, think it was June,

         E
Yeah, think it was June.

                   C♯m
Laying back, head on the grass,

                   Amaj⁷
Chewing gum, having some laughs,

          E
Yeah, having some laughs.

Chorus 1

   A
You made me feel like the one,

                  E
You made me feel like the one, the one.

   A
You made me feel like the one,

                  E
You made me feel like the one, the one.

Verse 2

  E   **C♯m**
  Drinking back, drinking for two,

    Amaj⁷
Drinking with you,

    E
When drinking was new.

       C♯m
Sleeping in the back of my car,

    Amaj⁷
We never went far,

     E
Didn't need to go far.

Chorus 2

 A
  You made me feel like the one,

       E
You made me feel like the one, the one.

 A
  You made me feel like the one,

       E
You made me feel like the one, the one.

Bridge 1

B **E**   **B**   **A**
 I don't know where we are going now.

B **E**   **B**   **A**
 I don't know where we are going now.

Verse 3

E   **C♯m**
Wake up call, coffee and juice,

   Amaj⁷
Remembering you,

   E
What happened to you?

      C♯m
I wonder if we'll meet a - gain?

    Amaj⁷
Talk about life since then,

   E
Talk about why did it end.

Chorus 3

     A
   You made me feel like the one,

                 E
You made me feel like the one, the one.

     A
   You made me feel like the one,

                 E
You made me feel like the one, the one.

Bridge 2

B **E**   **B**   **A**
  I don't know where we are going now.

B **E**   **B**   **A**
  I don't know where we are going now.

Outro

   A   **E**
‖: So take a look at me now.

            B
So take a look at me now.

            A
So take a look at me now.

So take a look at me now. :‖

   A   **E**
‖: So take a look at me now.

            G♯m
So take a look at me now.

            A
So take a look at me now.

So take a look at me now. :‖

            E
So take a look at me now.

Crazy

Words & Music by Thomas Callaway, Brian Burton,
Gianfranco Reverberi & Gian Piero Reverberi

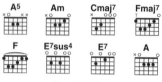

Capo third fret

Intro | **A5** |

Verse 1
Am   **Cmaj7**
I remember when, I remember, I remember when I lost my mind,

                                                                        Fmaj7
There was something so pleasant about that place.

                                                          F   **E7sus4**   **E7**
Even your emotions had an echo, in so much space.

Am   **Cmaj7**
And when you're out there, without care, yeah, I was out of touch.

                                                                      Fmaj7   **F**
But it wasn't because I didn't know enough,

                    E7sus4   **E7**
I just knew too much.

Chorus 1
                                        Am
Does that make me cra - zy?

                                        Cmaj7
Does that make me cra - zy?

                                        Fmaj7   **F**
Does that make me cra - zy?

          E7sus4   **E7**
Possibly.

Bridge 1
          A   **Fmaj7**   **F**
          And I hope that you are having the time of your life.

                    Cmaj7   **E7sus4**   **E7**
But think twice,   that's my only advice.

Verse 2

Am
Come on now, who do you, who do you, who do you,

Cmaj7
Who do you think you are?

Fmaj7   F
Ha ha ha bless your soul,

E7sus4   E7
You really think you're in con - trol.

Chorus 2

Am
Well, I think you're cra - zy,

Cmaj7
I think you're cra - zy,

Fmaj7   F
I think you're cra - zy,

E7sus4   E7
Just like me.

Bridge 2

A   Fmaj7   F
My heroes had the heart to lose their lives out on a limb.

Cmaj7   E7sus4   E7
And all I re - member is thinking, I want to be like them.

Verse 3

Am
Ever since I was little, ever since I was little,

Cmaj7
It looked like fun.

Fmaj7   F
And it's no coincidence I've come,

E7sus4   E7
And I can die when I'm done.

Chorus 3

Am
But maybe I'm cra - zy?

Cmaj7
Maybe you're cra - zy?

Fmaj7   F
Maybe we're cra - zy.

E7sus4   E7
Probably.

Coda

A   Fmaj7   Cmaj7   E7sus4   E7   A
Mm, ooh, ooh, ooh, ooh,   ooh,   ooh, mm.

Danger! High Voltage

Words & Music by Tyler Spencer, Joseph Frezza,
Stephen Nawara, Anthony Selph & Cory Martin

Bm   D   E   E/G♯   A

fr⁵   fr⁷   fr⁴   fr⁵

Intro | Bm | Bm | Bm | Bm | Bm | Bm |

Verse 1

Bm   D
Fire in the disco,

E   Bm   E/G♯   A
Fire in the Taco Bell.

Bm   D
Fire in the disco,

E   Bm   E/G♯   A
Fire in the gates of hell.

Verse 2

Bm   D
Don't you wanna know how we keep starting fires?

E   Bm   E/G♯   A
   It's my desire, it's my desire, it's my desire.

Bm   D
Don't you wanna know how we keep starting fires?

        E
It's my desire, it's my desire,

Bm   E/G♯   A
   It's my desire.

Chorus 1

Bm   D
Danger, danger!   High voltage,

E   Bm   E/G♯   A
   When we touch,   when we kiss.

Bm   D
Danger, danger!   High voltage,

E   Bm   E/G♯   A
   When we touch, when we kiss, when we touch.

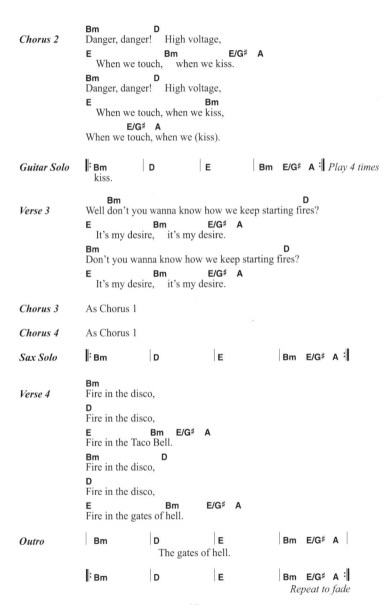

Chorus 2

Bm   D
Danger, danger!   High voltage,

E   Bm   E/G♯ A
  When we touch,   when we kiss.

Bm   D
Danger, danger!   High voltage,

E   Bm
  When we touch, when we kiss,

        E/G♯ A
When we touch, when we (kiss).

Guitar Solo

‖: Bm | D | E | Bm E/G♯ A :‖ *Play 4 times*
kiss.

Verse 3

      Bm   D
Well don't you wanna know how we keep starting fires?

E   Bm   E/G♯ A
  It's my desire,   it's my desire.

Bm   D
Don't you wanna know how we keep starting fires?

E   Bm   E/G♯ A
  It's my desire,   it's my desire.

Chorus 3   As Chorus 1

Chorus 4   As Chorus 1

Sax Solo

‖: Bm | D | E | Bm E/G♯ A :‖

Verse 4

Bm
Fire in the disco,

D
Fire in the disco,

E   Bm E/G♯ A
Fire in the Taco Bell.

Bm   D
Fire in the disco,

D
Fire in the disco,

E   Bm   E/G♯ A
Fire in the gates of hell.

Outro

| Bm | D | E | Bm E/G♯ A |
               The gates of hell.

‖: Bm | D | E | Bm E/G♯ A :‖
                              Repeat to fade

Death

Words & Music by Harry McVeigh, Charles Cave & Jack Brown

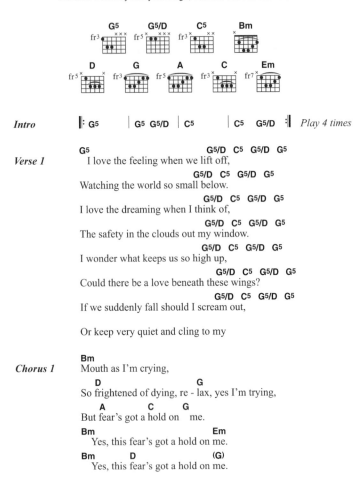

Intro ‖: G5 | G5 G5/D | C5 | C5 G5/D :‖ *Play 4 times*

Verse 1

G5   G5/D C5 G5/D G5
I love the feeling when we lift off,

                        G5/D C5 G5/D G5
Watching the world so small below.

                G5/D C5 G5/D G5
I love the dreaming when I think of,

                        G5/D C5 G5/D G5
The safety in the clouds out my window.

                        G5/D C5 G5/D G5
I wonder what keeps us so high up,

                        G5/D C5 G5/D G5
Could there be a love beneath these wings?

                        G5/D C5 G5/D G5
If we suddenly fall should I scream out,

Or keep very quiet and cling to my

Chorus 1

Bm
Mouth as I'm crying,

      D   G
So frightened of dying, re - lax, yes I'm trying,

      A   C   G
But fear's got a hold on   me.

Bm   Em
  Yes, this fear's got a hold on me.

Bm   D   (G)
  Yes, this fear's got a hold on me.

Link 1   ‖: G | G | Em | C   :‖

Verse 2

G   Em C
I love the quiet of the night time,

G   Em C
  When the sun is drowned in a deathly sea.

G   Em C
  I can feel my heart beating as I speed from,

G   Em C
  The sense of time catching up with me.

G   Em C
  The sky set out like a pathway,

G   Em C
  But who decides which route we take?

G   Em C
  As people drift into a dream world,

G
  I close my eyes as my hands shake,

Chorus 2

  Bm
And when I see a new day,

    D
Who's driving this anyway?

 G
I picture my own grave,

    A   C   G
'Cause fear's got a hold on me.

Bm   Em
  Yes, this fear's got a hold on me.

Bm   D   G
  Yes, this fear's got a hold on me.

Bm   Em
  Yes, this fear's got a hold on me.

Bm   D   G
  Yes, this fear's got a hold on me.

Bridge

  C   **D**   **G**   **Em**
Floating neither up or down, I wonder when I hit the ground,

        C   **D**
Will the earth beneath my body shake,

  G   **Em**
And cast your sleeping hearts awake?

       C   **D**
Could it tremble stars from moonlit skies,

    G   **Em**
Could it drag a tear from your cold eyes?

  C
I live on the right side, I sleep on the left,

        D
That's why everything has gotta be love or death.

Outro

G **D C**   **Em**   **G**   **D C**
     Yes, this fear's got a hold on me.

              Em   **G**
Yes, this fear's got a hold on me.

‖: **G** **D C**   **Em**   **G**   **D C**
     Yes, this fear's got a hold on me.

             Em   **G**
Yes, this fear's got a hold on me. :‖ *Repeat to fade*

Dog Days Are Over

Words & Music by Florence Welch & Isabella Summers

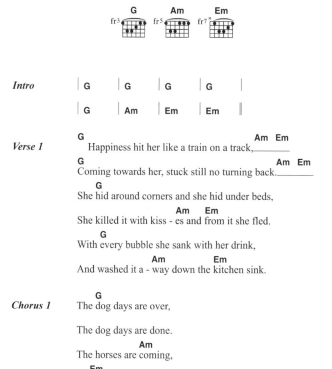

G   Am   Em

Intro		G		G		G		G	
		G		Am		Em		Em	

Verse 1

    G   Am   Em
    Happiness hit her like a train on a track,_____

    G   Am   Em
    Coming towards her, stuck still no turning back._____

        G
    She hid around corners and she hid under beds,

                    Am   Em
    She killed it with kiss - es and from it she fled.

        G
    With every bubble she sank with her drink,

                 Am   Em
    And washed it a - way down the kitchen sink.

Chorus 1

        G
    The dog days are over,

    The dog days are done.

             Am
    The horses are coming,

        Em
    So you better run.

Verse 2

G
Run fast for your mother, run fast for your father,

Run for your children, for your sisters and brothers.

Am
Leave all your loving, your loving behind,

Em
You can't carry it with you if you want to survive.

Chorus 2

G
The dog days are over,

The dog days are done.

Am
Can you hear the hor - ses?

Em   G
'Cause here they come.

Verse 3

G   Am   Em
And I never wanted anything from you,

G   Am   Em
Except everything you had and what was left after that too, oh.

G   Am Em
  Happiness hit her like a bullet in the head,_____

G
  Struck from a great height,

Am   Em
By someone who should know bet - ter than   that.

Chorus 3   As Chorus 2

Verse 4   As Verse 2

Chorus 4

G
The dog days are over,

The dog days are done.

                         Am
Can you hear the hors - es?

    Em
'Cause here they come.

Chorus 5

G
The dog days are over,

                Em
The dog days are done.

G
The horses are coming,

Am   **Em**
So you better run.

Chorus 6

G
The dog days are over,

Am   **Em**
The dog days are done.

G
The horses are coming,

Am   **Em** **G**
So you better run._____

Dry Your Eyes

Words & Music by Mike Skinner

A   E/G♯   F♯m7   E   D   A/D   F♯m   E/D

Intro　　　| A　　　| E/G♯　　| F♯m7 E | D　　| A　　　‖

Verse 1

     A
In one single moment your whole life can turn 'round

I stand there for a minute starin' straight into the ground,
A/D
Lookin' to the left slightly, then lookin' back down
         A
World feels like it's caved in – proper sorry frown.

Please let me show you where we could only just be, for us,

I can change and I can grow or we could adjust,
A/D
   The wicked thing about us is we always have trust,
         A
We can even have an open relationship, if you must.

I look at her she stares almost straight back at me,

But her eyes glaze over like she's lookin' straight through me,
A/D
Then her eyes must have closed for what seems an eternity,
         A
When they open up she's lookin' down at her feet.

A
Dry your eyes mate,

                                             A/D
I know it's hard to take but her mind has been made up,

                          A
There's plenty more fish in the sea.

Dry your eyes mate,

                                      A/D
I know you want to make her see how much this pain hurts,

But you've got to walk away now,

      A
It's over.

      A
So then I move my hand up from down by my side,

It's shakin', my life is crashin' before my eyes.
A/D
Turn the palm of my hand up to face the skies,

                         A
Touch the bottom of her chin and let out a sigh.

'Cause I can't imagine my life without you and me,

There's things I can't imagine doin', things I can't imagine seein'.
     A/D
It weren't supposed to be easy, surely,

          A
Please, please, I beg you please.

She brings her hands up towards where my hands rested,

She wraps her fingers round mine with the softness she's blessed with.
      A/D
She peels away my fingers, looks at me and then gestures,

            A
By pushin' my hand away to my chest, from hers.

Chorus 2   As Chorus 1

             A   E/G#   F#m7
Bridge   And I'm just standin' there, I can't say a word,

             E   D
         'Cause everythin's just gone,

         I've got nothin',

                A
         Absolutely nothin'.

             A
Verse 3   Tryin' to pull her close out of bare desperation,

         Put my arms around her tryin' to change what she's sayin'.

         A/D
         Pull my head level with hers so she might engage in,

                          A
         Look into her eyes to make her listen again.

         I'm not gonna fuckin', just fuckin' leave it all now,

         'Cause you said it'd be forever and that was your vow.

               A/D
         And you're gonna let our things simply crash and fall down,

                       A
         You're well out of order now, this is well out of town.

         She pulls away, my arms are tightly clamped round her waist,

         Gently pushes me back and she looks at me straight.

         A/D
         Turns around so she's now got her back to my face,

                             A
         Takes one step forward, looks back,   and then walks away.

Chorus 3   As Chorus 1

Outro

F#m   A
  I know in the past I've found it hard to say,

D   E/D
  Tellin' you things, but not tellin' straight,

A   F#m
  But the more I pull on your hand and say,

D   E/D
  The more you pull away.

A
Dry your eyes mate,

                                    A/D
I know it's hard to take but her mind has been made up,

                    A
There's plenty more fish in the sea.

A   E/G#
  Dry your eyes mate,

                       F#m7   E   D
I know you want to make her see how much this pain hurts,

                        A
But you've got to walk away now.

Feel

Words & Music by Robbie Williams & Guy Chambers

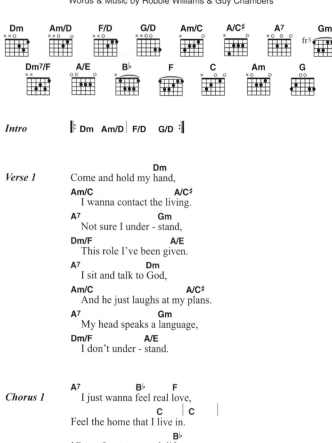

Intro ‖: Dm Am/D │ F/D G/D :‖

Verse 1

                      Dm
Come and hold my hand,

Am/C   **A/C♯**
  I wanna contact the living.

A7   **Gm**
  Not sure I under - stand,

Dm/F   **A/E**
  This role I've been given.

A7   **Dm**
  I sit and talk to God,

Am/C   **A/C♯**
  And he just laughs at my plans.

A7   **Gm**
  My head speaks a language,

Dm/F   **A/E**
I don't under - stand.

Chorus 1

A7   **B♭**   **F**
  I just wanna feel real love,

               C   │ **C**
Feel the home that I live in.

            B♭
'Cause I got too much life,

           F
Running through my veins,

     C
Going to waste.

Verse 2

Dm
I don't wanna die,

Am/C   **A/C♯**
But I ain't keen on living either.

A⁷   **Gm**
Before I fall in love,

Dm/F   **A/E**
I'm preparing to leave her.

A⁷   **Dm**
I scare myself to death,

Am/C   **A/C♯**
That's why I keep on running.

A⁷   **Gm**
Before I've arrived,

Dm/F   **A/E**
I can see myself coming.

Chorus 2

A⁷   **B♭**   **F**
I just wanna feel real love,

              C | **C** |
Feel the home that I live in.

            B♭
'Cause I got too much life,

           F
Running through my veins,

    C | **C** |
Going to waste.

          B♭   **F**
And I need to feel real love,

          C | **C** |
And a life ever after,

        (Dm)
I cannot give it up.

Instrumental ‖: **Dm Am/D** | **F/D** **G/D** | **Dm Am/D** | **F/D**   **G/D** :‖ *Play 4 times*

Chorus 3
B♭   **F**
I just wanna feel real love,

          C | **C** |
Feel the home that I live in.

      B♭
I got too much love,

           F
Running through my veins,

   C | **C** |
To go to waste.

Chorus 4
B♭   **F**
I just wanna feel real love,

        C | **C** |
In a life ever after.

      B♭
There's a hole in my soul,

        F
You can see it in my face,

    C | **C** |
It's a real big place.

Interlude   ‖: **Dm Am/D** | **F/D G/D** :‖

Outro
Dm   **Am**
Come and hold my hand.

F   **G**   **Dm** **Am**
I wanna contact the living,

F   **G**   **Dm** **Am**
Not sure I under - stand,

F   **G**   **Dm** **Am**
This role I've been given.

F   **G**   **Dm** **Am**
Not sure I under - stand,

F   **G**   **Dm** **Am**
Not sure I under - stand,

F   **G**   **Dm** **Am**
Not sure I under - stand,

F   **G**   **Dm Am/E** | **F**   **G** | **Dm**   ‖
Not sure I under - stand.

Feel Good Inc.

Words & Music by Damon Albarn, Jamie Hewlett, David Jolicoeur & Brian Burton

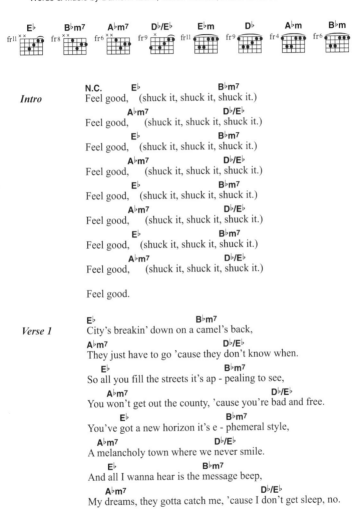

Intro

N.C.   E♭   B♭m7
Feel good,   (shuck it, shuck it, shuck it.)

    A♭m7   D♭/E♭
Feel good,   (shuck it, shuck it, shuck it.)

    E♭   B♭m7
Feel good,   (shuck it, shuck it, shuck it.)

    A♭m7   D♭/E♭
Feel good,   (shuck it, shuck it, shuck it.)

    E♭   B♭m7
Feel good,   (shuck it, shuck it, shuck it.)

    A♭m7   D♭/E♭
Feel good,   (shuck it, shuck it, shuck it.)

    E♭   B♭m7
Feel good,   (shuck it, shuck it, shuck it.)

    A♭m7   D♭/E♭
Feel good,   (shuck it, shuck it, shuck it.)

Feel good.

Verse 1

E♭   B♭m7
City's breakin' down on a camel's back,

A♭m7   D♭/E♭
They just have to go 'cause they don't know when.

  E♭   B♭m7
So all you fill the streets it's ap - pealing to see,

  A♭m7   D♭/E♭
You won't get out the county, 'cause you're bad and free.

    E♭   B♭m7
You've got a new horizon it's e - phemeral style,

  A♭m7   D♭/E♭
A melancholy town where we never smile.

  E♭   B♭m7
And all I wanna hear is the message beep,

  A♭m7   D♭/E♭
My dreams, they gotta catch me, 'cause I don't get sleep, no.

Chorus 1

E♭m   D♭   A♭m   B♭m
Windmill, windmill for the land, turn forever hand in hand.

E♭m   D♭   A♭m   B♭m
Take it all in on your stride, it is sticking, falling down.

E♭m   D♭   A♭m   B♭m
Love forever, love is free, let's turn forever you and me.

E♭m   D♭   A♭m   B♭m
Windmill, windmill for the land, is everybody in?

Verse 2 *(rap)*

(B♭m)   E♭
Laughing gas these hazmats, fast cats,

B♭m7
Lining them up like ass cracks.

A♭m7
Ladies, ponies, at the track,

D♭/E♭
It's my chocolate attack.

E♭
Shit, I'm stepping in the heart of this here,

B♭m7
Care bear reppin' in the heart of this here.

A♭m7   D♭/E♭
Watch me as I gravitate, ha ha ha ha ha.

         E♭
Yo, we goin' to ghost town, this Motown,

    B♭m7
With yo' sound you in the blink.

     A♭m7
Gon' bite the dust, can't fight with us,

   D♭/E♭
With your sound you kill the Inc.

   E♭
So, don't stop, get it, get it,

B♭m7
    Until you're cheddar header.

A♭m7   D♭/E♭
Watch the way I navigate, ha ha ha ha ha.

Bridge

E♭   B♭m7
(Shuck it, shuck it, shuck it.)

    A♭m7   D♭/E♭
Feel good,   (shuck it, shuck it, shuck it.)

    E♭   B♭m7
Feel good,   (shuck it, shuck it, shuck it.)

    A♭m7   D♭/E♭
Feel good,   (shuck it, shuck it, shuck it.)

Feel good.

Interlude

‖: E♭ | D♭ | A♭m | B♭m :‖ *Play 3 times*

Chorus 2

E♭m   D♭   A♭m   B♭m
Windmill, windmill for the land, turn forever hand in hand.

E♭m   D♭   A♭m   B♭m
Take it all in on your stride, it is sticking, falling down.

E♭m   D♭   A♭m   B♭m
Love forever, love is free, let's turn forever you and me.

E♭m   D♭   A♭m   B♭m
Windmill, windmill for the land, is everybody in?

Verse 3

B♭
Don't stop, shit it, get it,

B♭m7
  We are your captains in it.

A♭m7   D♭/E♭
Steady, watch me navigate, ha ha ha ha ha.

E♭
Don't stop, shit it, get it,

B♭m7
  We are your captains in it.

A♭m7   D♭/E♭
Steady, watch me navigate, ha ha ha ha ha.

Outro

(D♭/E♭)   E♭   B♭m7
Feel good,   (shuck it, shuck it, shuck it.)

    A♭m7   D♭/E♭
Feel good,   (shuck it, shuck it, shuck it.)

    E♭   B♭m7
Feel good,   (shuck it, shuck it, shuck it.)

    A♭m7   D♭/E♭
Feel good,   (shuck it, shuck it, shuck it.)

Feel good.

Feeling Good

Words & Music by Leslie Bricusse & Anthony Newley

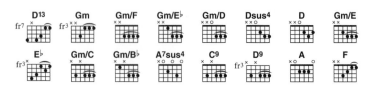

Intro   ‖: D13 | Gm | Gm ‖

Verse 1

    Gm   Gm/F
  Birds flying high

Gm/E♭   Gm/D
  You know how I feel

Gm   Gm/F
  Sun in the sky

Gm/E♭   Dsus4 D
  You know how I feel

Gm   Gm/F
  Reeds drifting on by

Gm/E   E♭
  You know how I feel

      Gm/D
It's a new dawn

      Gm/C
It's a new day

    Gm/B♭
It's a new life

A7sus4 C9 D9 N.C.
  For me___

(N.C.)   Gm Gm/F | Gm/E♭ Gm/D ‖
And I'm feeling good.

Verse 2

Gm   **Gm/F**
  Fish in the sea

Gm/E♭   **Gm/D**
  You know how I feel

Gm   **Gm/F**
  River running free

Gm/E♭   **Dsus4 D**
  You know how I feel

Gm   **Gm/F**
Blossom in the trees

Gm/E   **E♭**
  You know how I feel

    Gm/D
It's a new dawn

    Gm/C
It's a new day

    Gm/B♭
It's a new life

A7sus4 C9 D9 N.C.
  For me—

(N.C.)   **Gm/D Gm/E♭** | **Gm/E   Gm/E♭** ‖
And I'm feeling good.

Verse 3

(Gm)   **(Gm/F)**
  Dragonflies out in the sun

(Gm/E♭)   **(Gm/D)**
  You know what I mean, don't you know

(Gm)   **(Gm/F)**
  Butterflies are all having fun

(Gm/E♭)   **(Gm/D)**
  You know what I mean

(Gm/B♭) (Gm) (Gm/E♭)   **(Gm/C)**
Sle - ep in peace—   when the day is done

    (Gm/B♭)   **(Gm)**
And this old world is a new world

    (Gm/E♭)
And a bold world

(Gm/D)   **Gm Gm/F** | **Gm/E♭ Gm/D** ‖
  For me.——

Verse 4

Gm   Gm/F
  Stars when you shine

Gm/E♭   Gm/D
  You know how I feel

Gm   Gm/F
  Scent of the pine

Gm/E♭   Dsus⁴ D
  You know how I feel

      Gm   Gm/F
Yeah, freedom is mine

Gm/E   E♭
  And you know how I feel

     Gm/D
It's a new dawn

     Gm/C
It's a new day

     Gm/B♭
It's a new life

A⁷sus⁴ C⁹   A
  For me,— feeling good.—

Bridge

| A | F | E♭ | D⁹ | D⁹ N.C. |
| Ooh,— | ah,— | | | ooh.— |

Outro

| Gm Gm/F | Gm/E♭ Gm/D | Gm Gm/F | Gm/E♭ Gm/D |
| Ooh,— | free - er than you.— | | Ooh,— |

| Gm Gm/F | Gm/E E♭ | Gm/D Gm/C | Gm/B♭ Asus⁴ |
| Ooh,— | Ooh,— | | |

| C⁹ | D⁹ N.C. | Gm |
| | Feeling | good. |

Golden Touch

Words & Music by Johnny Borrell

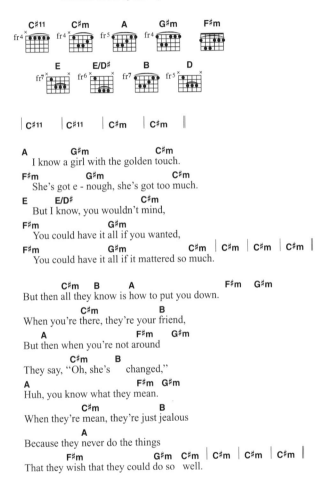

Intro | C#11 | C#11 | C#m | C#m ‖

Verse 1

    A   G#m   C#m
I know a girl with the golden touch.

F#m   G#m   C#m
She's got e - nough, she's got too much.

E   E/D#   C#m
But I know, you wouldn't mind,

F#m   G#m
You could have it all if you wanted,

F#m   G#m   C#m | C#m | C#m | C#m ‖
You could have it all if it mattered so much.

Chorus 1

               C#m   B   A   F#m   G#m
But then all they know is how to put you down.

              C#m   B
When you're there, they're your friend,

      A   F#m   G#m
But then when you're not around

           C#m   B
They say, "Oh, she's   changed,"

A   F#m G#m
Huh, you know what they mean.

           C#m   B
When they're mean, they're just jealous

           A
Because they never do the things

      F#m   G#m C#m | C#m | C#m | C#m ‖
That they wish that they could do so well.

Verse 2

```
A              G♯m                    C♯m
    That kind of girl, yes she's never a - lone.
F♯m         G♯m                       C♯m
    You leave a thousand messages on her phone.
E           E/D♯              C♯m
    But you know you never get through,
F♯m              G♯m
    And you could have it all if you wanted, girl.
F♯m                 G♯m          C♯m │ C♯m │ C♯m │ C♯m ‖
    You could have it all if it matters to you.
```

Chorus 2

```
            C♯m    B      A              F♯m   G♯m
    But then all they know is how to put you down.
             C♯m                   B
    When you're there, they're your friend,
        A                 F♯m     G♯m
    But then when you're not around
            C♯m        B
    They say, "Oh, she's      changed",
    A                         F♯m   G♯m
        Oh we know what that means.
            C♯m                 B
    Well it means they're just jealous
                A
    But they'll never do the things
            F♯m                    G♯m  C♯m │ C♯m │ C♯m │ C♯m │
    That they wish that they could do so   well.

│ C♯m   │ C♯m   │ C♯m   │ C♯m      ‖
```

Verse 3

```
A              G♯m               C♯m
    I saw my girl with the golden touch.
F♯m         G♯m              C♯m
    Give them a taste but not too much.
E              E/D♯                  C♯m
    I just can't listen to the words of fools.
D           A             C♯m
    But don't give away too much,
D               A              C♯m
    Someone will need your golden touch.
```

                       C#m   B   A   F#m   G#m
Chorus 3   Because all they know is how to put you down.
                            C#m   B
              When you're there, they're your friend
                    A   F#m   G#m
              Then   when you're not around
                         C#m   B
              They say, "Oh, she's changed",
              A   F#m   G#m
                 Yeah, we know what that means.
                     C#m   B
              Well it means they're just jealous

                       A
              They'll never do the things
                       F#m   G#m   C#m | C#m ‖
              That they wish that they could do so well.

                          C#m   B   A   F#m   G#m
Chorus 4   Because all they know is how to put you down.
                            C#m   B
              When you're there, they're your friend
                       A   F#m   G#m
              And then   when you're not around
                         C#m   B
              They say, "Oh, she's   changed",
              A   F#m   G#m
                 Oh, I know what that means.
                       C#m   B
              Well it means they're just jealous,

                       A
              They'll never do the things
                       F#m   G#m   C#m | C#m ‖
              That they wish that they could do so well.

                       F#m
Outro   No, they'll never do the things
                       G#m   C#m | C#m ‖
              That they wish that they could do so well.
                       F#m
              They'll never do the things
                       G#m   C#m | C#m ‖
              That they wish that they could do so well.
                       F#m
              No, they'll never do the things
                       G#m   C#m | C#m ‖
              That they wish that they could do so   well.

Golden Skans

Words & Music by Jamie Reynolds, James Righton & Simon Taylor

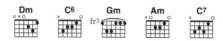

Dm **C6** **Gm** fr³ **Am** **C7**

Intro

Dm   C6
Ooh,——— ah.
Gm   Am
Ooh,——— ah.
Dm   C6
Ooh,——— ah.
Gm   Am
Ooh,——— ah.

Chorus 1

Dm   **C6**   **Gm**
Light touched my hands in a dream of Golden Skans, from now on,
                              Am
You can for - get all future plans.
Dm   **C6**
Night touched my hands with the turning Golden Skans,
              Gm   **Am**
From the night to the light, all plans are golden in your hands.

Verse 1

Dm   **Am**   **Gm**   **Am**
   Set sail from sense,   bring all her young.
Dm   **Am**   **Gm**
We sail from where we once be - gun.
              Am
While we wait, while we wait.

Bridge 1

              Dm   **C6**
A hall of records, or numbers, or spaces still undone,
Gm   **Am**
Ruins, or relics, dis - ciples and the young.
              Dm   **C6**
A hall of records, or numbers, or spaces still undone,
Gm   **Am**
Ruins, or relics, dis - ciples and the young.

Chorus 2   As Chorus 1

Link 1

Dm   C7
Ooh,——— ah.

Gm   Am
Ooh,——— ah.

Dm   C7
Ooh,——— ah.

Gm   Am
Ooh,——— ah.

Verse 2

Dm   **Am**   **Gm**   **Am**
    We sailed from sense,   brought all our young.

Dm   **Am**   **Gm**
We sailed from where we once be - gun.

       Am
While we wait, while we wait.

Bridge 2   As Bridge 1

Chorus 3   ‖: As Chorus 1 :‖

Outro

Dm   C7
Ooh,——— ah.

Gm   Am
Ooh,——— ah.

Dm   C7
Ooh,——— ah.

Gm   Am
Ooh,——— ah.

Dm
Ooh,——— ah.

Ooh,——— ah.

Ooh,——— ah.

Ooh,——— ah.

Gotta Get Thru This

Words & Music by Daniel Bedingfield

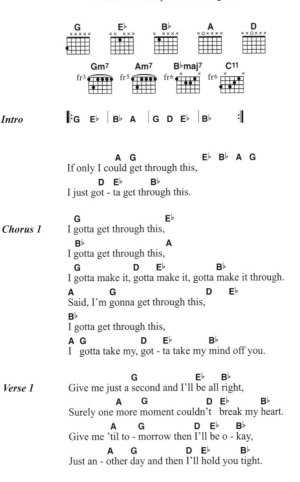

Intro ‖: G E♭ | B♭ A | G D E♭ | B♭ :‖

       A   G   E♭ B♭ A G
If only I could get through this,

       D E♭   B♭
I just got - ta get through this.

Chorus 1

      G   E♭
I gotta get through this,

      B♭   A
I gotta get through this,

      G   D   E♭   B♭
I gotta make it, gotta make it, gotta make it through.

A   G   D   E♭
Said, I'm gonna get through this,

B♭
I gotta get through this,

A G   D E♭   B♭
I   gotta take my, got - ta take my mind off you.

Verse 1

           G   E♭ B♭
Give me just a second and I'll be all right,

          A   G   D E♭   B♭
Surely one more moment couldn't   break my heart.

         A   G   D E♭   B♭
Give me 'til to - morrow then I'll be o - kay,

         A   G   D E♭   B♭
Just an - other day and then I'll hold you tight.

Bridge 1

Gm7   Am7
When your love is pouring like the rain,

                          Bbmaj7
I close my eyes and it's gone a - gain,

                    C11
When will I get the chance to say I love you.

Gm7   Am7
I pretend that you're already mine,

                          Bbmaj7
Then my heart ain't breaking every time,

I look into your eyes.

Link 1

                  A   D Eb Bb
If only I could get through this,

         A   G   D Eb Bb
If only I could get through this,

         A   G   D Eb
If only I could get through this,

Bb   A   G   D Eb Bb
God, God, gotta help me get through this.

Chorus 2   As Chorus 1

Verse 2   As Verse 1

Bridge 2   As Bridge 1

Outro

                  A   D Eb Bb
‖: If only I could get through this,

         A   G   D Eb Bb
If only I could get through this,

         A   G   D Eb
If only I could get through this,

Bb   A   G   D Eb Bb
God, God, gotta help me get through this. :‖

Repeat ad lib to fade

63

Grace Kelly

Words & Music by Mika, Jodi Marr, Dan Warner & John Merchant

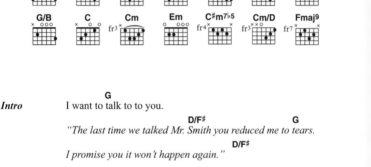

Intro

                     G
I want to talk to to you.

                                     D/F♯
"The last time we talked Mr. Smith you reduced me to tears.

                                      D/F♯
I promise you it won't happen again."

Verse 1

          G   **D/F♯**   **G**
Do I attract you, do I repulse you with my queasy smile?

                        D/F♯   **G**
Am I too dirty, am I too flirty, do I like what you like?

                                     D/F♯   **G**
I could be wholesome, I could be loathsome, guess I'm a little bit shy.

                                 N.C.   **G**
Why don't you like me, why don't you like me without making me try?

Pre-chorus

          G   **Dm7**
I try to be like Grace Kelly,

Am7   **Dsus4** **D**
But all her looks were too sad.

G   **Dm7**
So I tried a little Freddie,

Am7   **Dsus4**   **D**
I've gone identity mad!

Chorus 1

   G   **Am G/B C**
I could be brown, I could be blue, I could be vi - o - let   sky.

                       Dsus4   **D**   **G**
I could be hurtful, I could be purple, I could be anything you like.

                                    Am G/B C
Gotta be green, gotta be mean, gotta be eve - ry - thing more.

                            Dsus4
Why don't you like me, why don't you like me,

             D   **G**
Why don't you walk out the door?

Link 1

   G
"Getting angry doesn't solve anything."

Verse 2

   G   **Am G/B C**
How can I help it, how can I help it, how can I help what you think?

                    Dsus4   **D**   **G**
Hello my baby, hello my baby, putting my life on the brink.

Why don't you like me, why don't you like me,

            Am G/B   **C**
Why don't you like your - self?

                              Dsus4   **D**   **G**
Should I bend over, should I look older, just to be put on your shelf?

Pre-chorus 2   As Pre-chorus 1

Chorus 2

   G   **Am G/B C**
I could be brown, I could be blue, I could be vi - o - let   sky.

                       Dsus4   **D**   **G**
I could be hurtful, I could be purple, I could be anything you like.

                                    Am G/B C
Gotta be green, gotta be mean, gotta be eve - ry - thing more.

                            Dsus4
Why don't you like me, why don't you like me,

             D   **C**
Why don't you walk out the door?

Bridge

C   Cm   G
    Say what you want to satisfy yourself,

C   Cm   G   D/F# Em   D   C#m7♭5
    But you only want what every - body else says you should want.

    Cm/D
You know.

Chorus 3

G   Am G/B C
    I could be brown, I could be blue, I could be vi - o - let   sky.

                       Dsus4   D   G
I could be hurtful, I could be purple, I could be anything you like.

                                  Am G/B C
Gotta be green, gotta be mean, gotta be eve - ry - thing more.

                               Dsus4 D   G
Why don't you like me, why don't you like me, walk out the door?

Chorus 4

G   Am G/B C
    I could be brown, I could be blue, I could be vi - o - let   sky.

                       Dsus4   D   G
I could be hurtful, I could be purple, I could be anything you like.

                                  Am G/B C
Gotta be green, gotta be mean, gotta be eve - ry - thing more.

                             Dsus4 D   Em   D
Why don't you like me, why don't you like me, walk out the door?

C   G/B Am G Fmaj9
Ooh._____

"Humphrey, we're leaving."

Kerching.

Great DJ

Words & Music by Katie White & Jules De Martino

Intro ‖: D | Dadd♭6 :‖ *play 8 times*

Verse 1
D
Fed up with your indigestion,

Swallow words one by one.

Your folks got high at a quarter to five,

Don't you feel you're growing up undone?
                          Dadd♭6
Nothing but the local D.J.
        D   Dadd♭6
He said he had some songs to play.
D   Dadd♭6
What went down from this fooling around,
                    D
Gave hope and a brand new day.

Chorus 1

             D   **Am⁷**
Imagine all the girls, ah-ah, ah, ah, ah-ah, ah-ah,

     D   **Am⁷**
And the boys, ah-ah, ah, ah, ah-ah, ah-ah,

      D   **Am⁷**
And the strings, eeh-eeh, eeh, eeh, eeh-eeh, eeh-eeh,

      D   **Am⁷**
And the drums, the drums, the drums, the drums.

      D
‖: The drums, the drums. :‖ *play 4 times*

Oh.

Link   ‖: **D** | **Dadd♭6**   :‖

Verse 2

D   **Dadd♭6**
Nothing was the same a - gain,

D   **Dadd♭6**
All about where and when.

D   **Dadd♭6**
Blowing our minds in a life unkind,

   D   **Dadd♭6**
You gotta love the B.P.M.

D   **Dadd♭6**
When his work was all but done,

   D   **Dadd♭6**
Remembering how this be - gun.

    D   **Dadd♭6**
We wore his love like a hand in a glove,

      D
There's a future, plays it all night long.

Chorus 2
      D   **Am⁷**

Nothing but the girls, ah-ah, ah, ah, ah-ah, ah-ah,
      D   **Am⁷**
And the boys, ah-ah, ah, ah, ah-ah, ah-ah,
      D   **Am⁷**
And the strings, eeh-eeh, eeh, eeh, eeh-eeh, eeh-eeh,
      D   **Am⁷**
And the drums, the drums, the drums, the drums.

     D   **Am⁷**
‖: The drums, the drums, the drums, the drums. :‖ *play 4 times*

Interlude ‖: **D** | **Am⁷**   :‖ *play 4 times*

Chorus 3
      D   **Am⁷**

Imagine all the girls, ah-ah, ah, ah, ah-ah, ah-ah,
      D   **Am⁷**
And the boys, ah-ah, ah, ah, ah-ah, ah-ah,
      D   **Am⁷**
And the strings, eeh-eeh, eeh, eeh, eeh-eeh, eeh-eeh,
      D   **Am⁷**
And the drums, ah-ah, ah, ah, ah-ah, ah-oh.
     D   **Am⁷**
All the girls, ah-ah, ah, ah, ah-ah, ah-ah,
    D   **Am⁷**
And the boys, ah-ah, ah, ah, ah-ah, ah-ah,
    D   **Am⁷**
And the strings, eeh-eeh, eeh, eeh, eeh-eeh, eeh-eeh,
    D   **Am⁷**
And the drums, the drums, the drums, the drums.

Here With Me
(Theme from Roswell)

Words by Dido Armstrong
Music by Dido Armstrong, Pascal Gabriel & Paul Statham

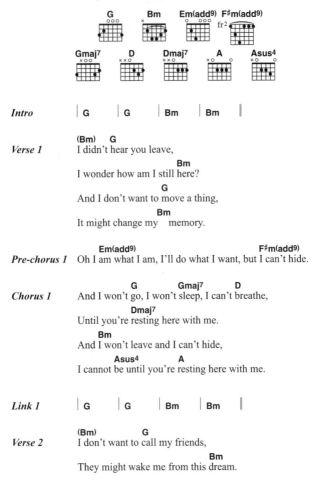

Intro | G | G | Bm | Bm ‖

Verse 1
    (Bm) G
I didn't hear you leave,
                  Bm
I wonder how am I still here?
               G
And I don't want to move a thing,
              Bm
It might change my   memory.

Pre-chorus 1
      Em(add9)   F#m(add9)
Oh I am what I am, I'll do what I want, but I can't hide.

Chorus 1
                G   Gmaj7   D
And I won't go, I won't sleep, I can't breathe,
                Dmaj7
Until you're resting here with me.
          Bm
And I won't leave and I can't hide,
          Asus4   A
I cannot be until you're resting here with me.

Link 1 | G | G | Bm | Bm ‖

Verse 2
    (Bm)   G
I don't want to call my friends,
                      Bm
They might wake me from this dream.

cont.

                  G
And I can't leave this bed,

                       Bm
Risk forgetting all that's been.

Pre-chorus 2   As Pre-chorus 1

Chorus 2

         G   **Gmaj⁷**   **D**
And I won't go, I won't sleep and I can't breathe,

         Dmaj⁷
Until you're resting here with me.

         Bm
And I won't leave and I can't hide,

            Asus⁴   **A**
I cannot be until you're resting here.

         G   **Gmaj⁷**   **D**
And I won't go, I won't sleep and I can't breathe,

         Dmaj⁷
Until you're resting here with me.

         Bm
And I won't leave and I can't hide,

            Asus⁴   **A**   **Em(add9)**
I cannot be until you're resting here with me.

Link 2 | **Em(add9)** | **Em(add9)** | **F♯m(add9)** | **F♯m(add9)** ‖

         Em(add9)   **F♯m(add9)**
Pre-chorus 3 Oh I am what I am, I'll do what I want, but I can't hide.

Chorus 3

         G   **Gmaj⁷**   **D**
And I won't go, I won't sleep and I can't breathe,

         Dmaj⁷
Until you're resting here with me.

         Bm
And I won't leave and I can't hide,

            Asus⁴   **A**
I cannot be until you're resting here.

         G   **Gmaj⁷**   **D**
And I won't go, I won't sleep and I can't breathe,

         Dmaj⁷
Until you're resting here with me.

         Bm
And I won't leave and I can't hide,

            Asus⁴   **A**   **Em(add9) F♯m(add9)**
I cannot be until you're resting here with me.

Hey Ya!

Words & Music by André Benjamin

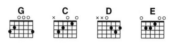

Verse 1

        G
1, 2, 3, Uh!

             C
My baby don't mess around

Because she loves me so

          D   **E**
And this I know fo' sho' (Uh!)

G   **C**
  But does she really wanna

                    D   **E**
Not to expect to see me walk out the do'?

G   **C**
  Don't try to fight the feeling

'Cause the thought alone

          D   **E**
Is killing me right now. (Uh!)

G   **C**
  Thank God for Mom and Dad

For sticking two together

          D   **E**
'Cause we don't know how.

C'mon!

Chorus 1

G   **C**   **D**   **E**
Hey Ya! Hey Ya!
G   **C**   **D**   **E**
Hey Ya! Hey Ya!
G   **C**   **D**   **E**
Hey Ya! Hey Ya!
G   **C**   **D**   **E**
Hey Ya! Hey Ya!

Verse 2

G
　You think you've got it

C
Oh, you think you've got it

But got it just don't get it
　　　　D　　　**E**
'Til there's nothing at all. (Ah!)

G
　We get together

C
Oh, we get together

But separate's always better
　　　　　D　　　　**E**
When there's feelings in - volved. (Oh!)

G　　　　　　**C**
　If what they say is "nothing is forever"

Then what makes,

Then what makes,
　　　　D
Then what makes,

　　E
Then what makes,

Then what makes, (What makes? What makes?)

Love the exception?

G
　So why oh, why oh

C
Why oh, why oh, why oh

Are we so in denial
　　　　　D　　　　**E**　　**N.C.**
When we know we're not happy here?

　　　　　　　G　　　　　　　　　　　　　**C**
Chorus 2　Y'all don't want to hear me, you just want to dance,
　　　　　　　　　　(Hey　　　　　　　　　　　　　　　Ya!)

　　D　　**E**
(Hey Ya!)

　　　　　　　　　　　G　　**C**
Don't want to meet your daddy,　　just want you in my Caddy
　　　　　　　　　　　　(Hey　　Ya!)

    D E
(Hey Ya!)

             G   **C**
Don't want to meet your momma,   just want to make you come-a
             (Hey   Ya!)

D   **E**
  I'm,   I'm
(Hey   Ya!)

G   **C**   **D**   **E**
  I'm just being honest, I'm just being honest
(Hey   Ya!)   (Hey Ya!)

Verse 3   Hey! Alright now!

                G   **C**
        Alright now, fellas! (Yeah!)

                             D **E**
        Now what's cooler than being cool? (Ice cold!)

        I can't hear ya!

                         G   **C**
        I say what's, what's cooler than being cool? (Ice cold!)

                              D   **E**
        Alright, alright, alright, alright, al - right, alright, al - right,

        Alright, alright, alright, alright, alright, alright, alright,

                G   **C**
        Okay now, ladies! (Yeah!)

                                  D   **E**
        Now we gon' break this thing down in just a few seconds

                                  G
        Now don't have me break this thing down for nothin!

        C
        Now I wanna see y'all on y'all baddest behaviour!

        D   **E**
        Lend me some sugar!

        I am your neighbour!

        Ah! Here we go! Uh!

Breakdown

(Dbass)
Shake it, sh-shake it
     (Cbass)
Shake it, sh-shake it

Shake it, sh-shake it
(Dbass)
Shake it, shake it
(Ebass)
Sh-shake it
          (Dbass)
Shake it like a Polaroid picture (Hey ya!)
(Cbass)
Shake it, sh-shake it (Ok!)

Shake it, sh-shake it
(Dbass)
Shake it, shake it (Ok!)
(Ebass)
Shake it, sh-shake it (Shake it sugar!)

Shake it like a Polaroid picture
      (Dbass)   **(Cbass)**
Now all Beyoncé's and Lucy Lui's and baby dolls
(Dbass)   **(Ebass)**
  Get on the floor

(Git on the flo')
         (Dbass) **(Cbass)**
You know what to do,
           (Dbass)
You know what to do,
(Ebass)
  You know what to do.

Chorus 3

   G C   D E
‖: Hey Ya! (Oh oh!) Hey Ya! (Oh oh!)
  G C   D E
Hey Ya! (Oh oh!) Hey Ya! (Oh oh! Hey Ya!)
  G C   D E
Hey Ya! (Oh oh!) Hey Ya! (Oh oh!)
  G C   D E
Hey Ya! (Oh oh!) Hey Ya! (Oh oh!):‖ *Repeat to fade*

Hoppípolla

Words & Music by Jón Birgisson, Georg Hólm, Kjartan Sveinsson & Orri Dýrason

B/D♯   E   B   G♯m7   F♯

Intro | (B/D♯) |(F♯sus4/C♯) | (B) |(F♯sus4/C♯)‖

‖: B/D♯ E | E | B | G♯m7 | F♯ | E   :‖

Verse 1
B/D♯   E
Brosandi,

          B
Hendumst í hringi,

          G♯m7
Höldumst í hendur,

          F♯
Allur heimurinn ósk r,

          E
Nema ú stendur.

Verse 2
B/D♯   E
Rennblautur,

          B
Allur rennvotur,

                  G♯m7
Engin gúmm - íst'gvél,

          F♯
Hlaupandi   inn í okkur,

          E
Vill springa út úr skel.

Verse 3   .

      B/D♯   **E**
Vindurinn,

    B   **G♯m7**
Og útilykt af hárinu ínu,

           F♯
Eg lamdi eins fast og ég get,

    E
Me nefinu mínu.

Bridge

   B   **F♯**
Hoppí - polla,

      E
I engum stígvélum,

B/D♯   **B**   **F♯**
    Allur rennvotur, rennblautur,

      E   **F♯**
I engum stígvélum.

Chorus 1

       B/D♯ **E**
Og ég fæ blónasir,

         B/D♯ E
En ég stend alltaf upp,

Hopelandic.

‖: **B** | **G♯m7** | **F♯** | **E** :‖

Chorus 2

      B/D♯ **E**
Og ég fæ blónasir,

        B/D♯ E
En ég stend alltaf upp,

Hopelandic.

Outro   ‖: **B** | **G♯m7** | **F♯** | **E** :‖ *Play 4 times*

         | **B**   ‖

I Believe In A Thing Called Love

Words by Justin Hawkins
Music by Justin Hawkins, Daniel Hawkins, Ed Graham & Frankie Poullain

F#5 A5 B5 E5 F#m E B F#m11

B♭5/F B5/F# C#5 C#5/G# D5/A B/F# Asus2 Bsus4

Intro   ‖: F#5   A5 | B5 | E5   B5 | A5   :‖

Verse 1

    F#m   A5   B   E B A5
        Can't explain   all the feelings that you're making me feel.

    F#m   A5   B   E B A5
        My heart's in overdrive and you're behind the steering wheel.

Pre-chorus 1

    E F#m11   E F#m11
        Touching you,   touching me,

    E F#m11   A5   B♭5/F   B
        Touching you,   God, you're touching me.

Chorus 1

    E5   A5
        I believe in a thing called love,

    F#5   B5/F#   C#5   B5
        Just listen to the rhythm of my heart.

    E5   A5
        There's a chance we could make it now,

    F#5   B5/F#   C#5   B5
        We'll be rocking till the sun goes down.

    E5   A5   F#5 B5/F# C#5 B5
    I believe in a thing called love._____

    C#5/G# B5/F# C#5/G# B5/F# C#5/G# D5/A
    Ooh,   ooh. Uh!

| *Gtr. solo 1* | F#5   A5 | B | E5   B | A5 | ‖ |

Verse 2

F#m   A5   B   E   B   A5
I wanna kiss you eve - ry minute, every hour, every day,

F#m   A5   B   E   B   A5
You got me in a spin but everything is a - O. K.

Pre-chorus 2   As Pre-chorus 1

Chorus 2   As Chorus 1

| *Gtr. solo 2* | ‖: F#5   A5 | B | E5   B | A5 | :‖ *Play 4 times* |

Pre-chorus 3

E   F#m11   E   F#m11
      Touching you,   touching me,

E   F#m11   A5   Bb5/F   B/F#
      Touching you,   God, you're touching me. Ah!

Chorus 3

N.C. (E)
I believe in a thing called love,

Just listen to the rhythm of my heart.

There's a chance we could make it now,

We'll be rocking till the sun goes down.

I believe in a thing called love.
C#5/G# B5/F# C#5/G# D/A
Ah!

| *Gtr. solo 3* | ‖: E   Asus2 | F#m11 Bsus4 | E   Asus2 | F#m11 Bsus4 :‖ |

| *Outro* | ‖: E5   A5 | F#5 B5/F# C#5 B5 | |
| | E5   A5 | F#5 B5/F# C#5 B5 :‖ E | ‖ |

I Just Don't Know What To Do With Myself

Words by Hal David
Music by Burt Bacharach

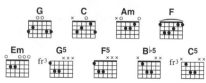

Intro | G C | G N.C. | G C | G N.C. ‖

Chorus 1
                    G   C   G
I just don't know what to do with my - self,
                 C   G
I don't know what to do with my - self,

Verse 1
        Am
    Planning everything for two,
    F
        And doing everything with you,
        Em   A
And now that we're through,
            G   C G
I just don't know what to do.

Chorus 2
N.C.   G   C   G
I just don't know what to do with my - self,
N.C. G   C   G
I don't know what to do with my - self,

Verse 2
        Am
    Movies only make me sad,
    F
        And parties make me feel as bad,
        Em   A
'Cause I'm not with you,
            G   C G
I just don't know what to do.

Bridge 1

                 G5
Like a summer rose,

                F5
Needs the sun and rain,

         B♭5
I need your sweet love

F5   **C5**
   To beat love a - way.

Chorus 3

N.C.   **G**   **C**   **G**
Well I don't know what to do with my - self,

N.C.   **G**   **C**   **G**
Just don't know what to do with my - self.

Verse 3

Am
   Planning everything for two,

F
   And doing everything with you,

      Em   **Am**
And now that we're through,

            G   **C** **G**
I just don't know what to do.

Bridge 2   As Bridge 1

Outro

N.C.   **G5**   **F5**   **G5**
I just don't know what to do with my - self,

                    F5   **G5**
Just don't know what to do with my - self,

                    F5   **G5**
Just don't know what to do with my - self,

                F5   **G5**
I don't know what to do with my - self.

I Kissed A Girl

Words & Music by Katy Perry, Lukasz Gottwald, Max Martin & Cathy Dennis

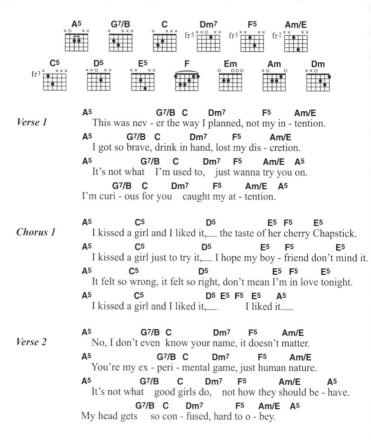

Verse 1

A5   G7/B C   Dm7   F5   Am/E
This was nev - er the way I planned, not my in - tention.

A5   G7/B C   Dm7   F5   Am/E
I got so brave, drink in hand, lost my dis - cretion.

A5   G7/B   C   Dm7 F5   Am/E A5
It's not what   I'm used to,   just wanna try you on.

            G7/B   C   Dm7   F5   Am/E A5
I'm curi - ous for you   caught my at - tention.

Chorus 1

A5   C5   D5   E5 F5   E5
I kissed a girl and I liked it,__ the taste of her cherry Chapstick.

A5   C5   D5   E5 F5   E5
I kissed a girl just to try it,__ I hope my boy - friend don't mind it.

A5   C5   D5   E5 F5   E5
It felt so wrong, it felt so right, don't mean I'm in love tonight.

A5   C5   D5 E5 F5 E5   A5
I kissed a girl and I liked it,__   I liked it.__

Verse 2

A5   G7/B C   Dm7   F5   Am/E
No, I don't even know your name, it doesn't matter.

A5   G7/B C   Dm7   F5   Am/E
You're my ex - peri - mental game, just human nature.

A5   G7/B   C   Dm7 F5   Am/E   A5
It's not what good girls do,   not how they should be - have.

            G7/B C   Dm7   F5   Am/E A5
My head gets   so con - fused, hard to o - bey.

Chorus 2   As Chorus 1

            F   Em   Am   Em   F

Bridge   Us girls we are so magi - cal, soft skin, red lips, so kissa - ble.

                   Em   Am   Em

      Hard to re - sist, so toucha - ble, too good to   deny it.

      Dm

        It ain't no big deal, it's innocent.

Chorus 3   As Chorus 1

I Predict A Riot

Words & Music by Nicholas Hodgson, Richard Wilson,
Andrew White, James Rix & Nicholas Baines

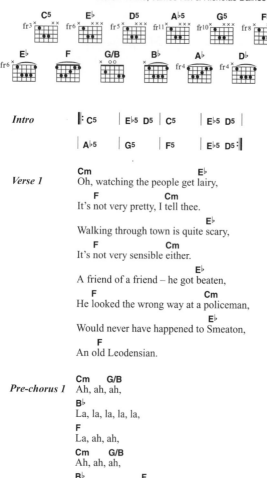

Intro ‖: C5 | E♭5 D5 | C5 | E♭5 D5 |

| A♭5 | G5 | F5 | E♭5 D5 :‖

Verse 1

    Cm   **E♭**
Oh, watching the people get lairy,

    F   **Cm**
It's not very pretty, I tell thee.

                   E♭
Walking through town is quite scary,

    F   **Cm**
It's not very sensible either.

                 E♭
A friend of a friend – he got beaten,

    F   **Cm**
He looked the wrong way at a policeman,

                 E♭
Would never have happened to Smeaton,

    F
An old Leodensian.

Pre-chorus 1

    Cm   **G/B**
Ah, ah, ah,

B♭
La, la, la, la, la,

F
La, ah, ah,

    Cm   **G/B**
Ah, ah, ah,

B♭   **F**
La, la, la, la, la, la.

Chorus 1

     A♭   **D♭**   **A♭**
I predict a riot, I predict a riot,

                  D♭   **A♭**
I predict a riot, I predict a riot.

Verse 2

Cm   **E♭**
Oh, I tried to get in my taxi,

F   **Cm**
Man in a tracksuit at - tacks me,

                  E♭
He said that he saw it be - fore me

     F   **Cm**
And wants to get things a bit gory.

                   E♭
Girls scrabble round with no clothes on,

F   **Cm**
To borrow a pound for a condom,

                   E♭
If it wasn't for chip fat, they'd be frozen,

     F
They're not very sensible.

Pre-chorus 2   As Pre-chorus 1

Chorus 2   As Chorus 1

Bridge 1

             D5   **C5**
And if there's anybody left in here

      B♭5   **A♭5***
That doesn't want to be out there.

Instrumental ‖: **C5** | **E♭5 D5** | **C5** | **E♭5 D5** |

              | **A♭5** | **G5** | **F5** | **E♭5 D5** :‖

	Cm E♭
Verse 3	Oh, watching the people get lairy,

F   Cm
Not very pretty I tell thee,

                        E♭
Walking through town is quite scary,

   F
It's not very sensible.

         Cm   G/B
Pre-chorus 3 La, ah, ah,

B♭
La, la, la, la, la,

F
La, ah, ah,

Cm   G/B
Ah, ah, ah,

B♭   F
La, la, la, la, la, la.

Oh, oh, oh.

Chorus 3   As Chorus 1

Bridge 2   As Bridge 1

         D♭   A♭ D♭   A♭
Chorus 4   I predict a riot, I predict a riot,

D♭   A♭ D♭   A♭
I predict a riot, I predict a riot.

   | A♭ D♭ | A♭   ‖

I Don't Feel Like Dancin'

Words & Music by Elton John, Jason Sellards & Scott Hoffman

[Chord diagrams: Dsus2, D(9)aug, D%, D9, G, Gm, A, D, Dsus4, Gsus4, G(add9), Bm, F#m, Am7, C7, Db dim7]

Intro
| Dsus2 | D(9)aug | D% | D9 |

| G | Gm | A | A |

| D Dsus4 D | D Dsus4 D | D Dsus4 | D Dsus4 D |

Verse 1
D   Dsus4 D   Dsus4   D
Wake up in the morn - ing   with a head like 'what ya done?'
          G   Gsus4 G   G(add9) G   Gsus4 G(add9) G
This used to be the life but   I don't need   another one.
D   Dsus4 D   Dsus4 D
You like cuttin' up and   carrying on, you wear them gowns.
          G   Gsus4 G   G(add9) G   Gsus4 G(add9) G
So how come I feel so lonely when you're   up getting down?

Bridge 1
          Bm   F#m
So I'll play along when I hear that special song,
Am7   G
I'm gonna be the one who gets it right.
Bm   F#m
You better move when you're swayin' 'round the room,
Am   G
Look's like magic's only ours to - night.

Pre-chorus 1
          D   Dsus4 D   Dsus4 D
But I don't feel like danc - in'   when the old Joanna plays,
          G   Gsus4 G   G(add9) G
My heart could take a chance, but my two feet can't find a way.
                    A   C7   G
You'd think that I could muster up a little soft-shoe gentle sway,
          D   Dsus4 D
But I don't feel like danc - in',   no sir, no dancin' today.

Chorus 1

D
Don't feel like dancin', dancin',

Even if I find nothin' better to do.

G
Don't feel like dancin', dancin',

Why'd you pick a tune when I'm not in the mood?

A
Don't feel like dancin', dancin',

C7   G   D   Dsus4 D
I'd rather be home with the one in the bed till dawn with you.

Instr. 1

| Gm   G | C7 | Gm   G | C7 |

| Gm   G | C7 D♭dim7 | D   Dsus4 D | D   Dsus4 D ‖

Verse 2

D   Dsus4 D   Dsus4 D
Cities come and ci - ties   go just like the old em - pires,

G   Gsus4 G   G(add9) G   G(add9)
When all you do is change your clothes and call   that versatile.

D   Dsus4 D   Dsus4   D
You got so many col - ours,   make a blind man so confused,

G   Gsus4 G   G(add9)
Then why can't I keep up when you're the only thing I lose?

Bridge 2

Bm   F♯m
So I'll just pretend that I know which way to bend,

Am7   G
And I'm gonna tell the whole world that you're mine.

Bm   F♯m
Just please understand when I see you clap your hands,

Am   G
If you stick around I'm sure that I'll be fine.

Pre-chorus 2   As Pre-chorus 1

Chorus 2   As Chorus 1

Instr. 2 | **Bm** | **F♯m** | **Am⁷** | **G** |

| **Bm** | **F♯m** | **Am⁷** | **G**   ‖

Middle
D   **D⁽⁹⁾aug**
You can't make me dance around,
     D%   **D⁷**
But your two-step makes my chest pound.
               G   **Gm**   **A**
Just lay me down as you float away into the shimmer light.

Pre-chorus 3   As Pre-chorus 1

Chorus 3   As Chorus 1

Chorus 4   As Chorus 1

Outro | **D**   **Dsus⁴ D** | **D**   **Dsus⁴ D** | **D**   **Dsus⁴ D** | **D**   **Dsus⁴ D** ‖

The Importance Of Being Idle

Words & Music by Noel Gallagher

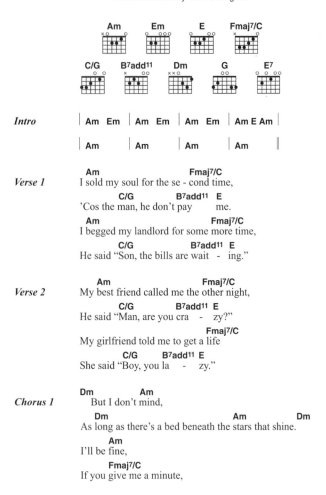

Intro
| Am Em | Am Em | Am Em | Am E Am |
| Am | Am | Am | Am ‖

Verse 1
       Am   Fmaj7/C
I sold my soul for the se - cond time,
            C/G   B7add11 E
'Cos the man, he don't pay   me.
       Am   Fmaj7/C
I begged my landlord for some more time,
            C/G   B7add11 E
He said "Son, the bills are wait - ing."

Verse 2
         Am   Fmaj7/C
My best friend called me the other night,
            C/G   B7add11 E
He said "Man, are you cra - zy?"
                            Fmaj7/C
My girlfriend told me to get a life
            C/G   B7add11 E
She said "Boy, you la - zy."

Chorus 1
Dm   Am
   But I don't mind,
Dm   Am   Dm
As long as there's a bed beneath the stars that shine.
        Am
I'll be fine,
        Fmaj7/C
If you give me a minute,

cont.   A man's got a limit,

        G   **E7**
I can't get a life if my heart's not in it. Hey, hey, (yeah.)

Interlude | **Am** | **Fmaj7/C** | **C/G** | **B7add11 E** |
yeah.
        | **Am** | **Fmaj7/C** | **C/G** | **B7add11 E** ‖

Solo | **Am** | **Fmaj7/C** | **C/G** | **B7add11 E** |

        | **Am** | **Fmaj7/C** | **C/G B7add11** | **E** ‖

Chorus 2   As Chorus 1

        | **Am**   **Em** | **Am**   **Em** | **Am**   **Em** | **Am E Am** ‖
Yeah.

        Am   **Fmaj7/C**
Verse 3   I lost my faith in the sum - mertime,

        C/G   **B7add11 E**
'Cos it don't stop rain - ing.

        Am   **Fmaj7/C**
The sky all day is as black as night,

        C/G   **B7add11 E**
But I'm not com - plain - ing.

        Am   **Fmaj7/C**
Verse 4   I begged my doctor for one more line,

        C/G   **B7add11 E**
He said "Son, words fail   me,

        Am   **Fmaj7/C**
It ain't your place to be kill - ing time."

        C/G   **B7add11 E**
I guess I'm just la - zy.

Chorus 3   As Chorus 1

Outro | **Am**   **Em** | **Am**   **Em** | **Am**   **Em** | **Am E Am** ‖

In The End

Words & Music by Chester Bennington, Mike Shinoda,
Rob Bourdon, Joseph Hahn & Brad Delson

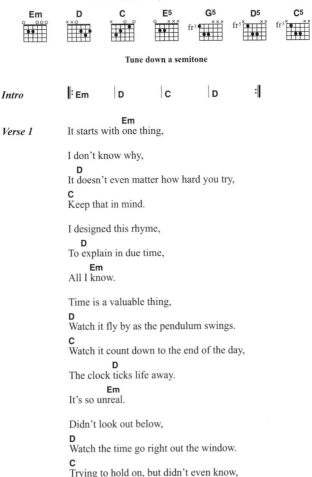

Tune down a semitone

Intro ‖: Em │ D │ C │ D :‖

Verse 1
                    Em
It starts with one thing,

I don't know why,
    D
It doesn't even matter how hard you try,
C
Keep that in mind.

I designed this rhyme,
    D
To explain in due time,
        Em
All I know.

Time is a valuable thing,
D
Watch it fly by as the pendulum swings.
C
Watch it count down to the end of the day,
            D
The clock ticks life away.
        Em
It's so unreal.

Didn't look out below,
D
Watch the time go right out the window.
C
Trying to hold on, but didn't even know,
D   **Em**
Wasted it all just to watch you go.

cont.

                                      D
I kept everything inside and even though I tried,

It all fell apart.
C
What it meant to me will eventually,
     D
Be a memory of a time when…

        E5
Chorus 1   I tried so hard,
           G5
And got so far.
        D5
But in the end,
             C5
It doesn't even matter.
       E5
I had to fall,
        G5
To lose it all.
        D5
But in the end,
             C5
It doesn't even matter.

     Em
Verse 2   One thing, I don't know why,
     D
It doesn't even matter how hard you try,
C
Keep that in mind.
                  D
I designed this rhyme, to remind myself how,
        Em
I tried so hard.

In spite of the way you were mocking me, .
D
Acting like I was part of your property.
C
Remembering all the times you fought with me,
D
   I'm surprised it got so far.
Em
Things aren't the way they were before,

cont.

D
You wouldn't even recognize me anymore.

C
Not that you knew me back then,

D
But it all comes back to me,

Em
In the end.

D
You kept everything inside and even though I tried,

It all fell apart.

C
What it meant to me will eventually,

D
Be a memory of a time when…

Chorus 2   As Chorus 1

Verse 3
Em   **D**
I've put my trust in you,

C   **D**
Pushed as far as I can go.

Em
For all this,

D   **C**   **D**
There's only one thing you should know.

E5   **G5**
I've put my trust in you,

D5   **C5**
Pushed as far as I can go.

E5
For all this,

G5   **D5**   **C5**
There's only one thing you should know…

Chorus 3   As Chorus 1

Outro   ‖: **Em** | **D** | **C** | **D**   :‖

| ⌢
| **Em**   ‖

It's My Life

Words & Music by Jon Bon Jovi, Richie Sambora & Max Martin

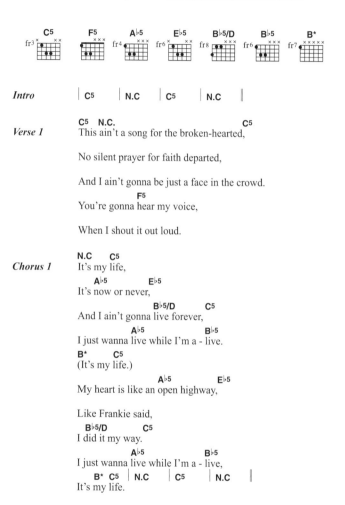

Chord diagrams: C5 (fr3), F5, A♭5 (fr4), E♭5 (fr6), B♭5/D (fr8), B♭5 (fr6), B* (fr7)

Intro | C5 | N.C | C5 | N.C ‖

Verse 1
C5   N.C.   C5
This ain't a song for the broken-hearted,

No silent prayer for faith departed,

And I ain't gonna be just a face in the crowd.
                      F5
You're gonna hear my voice,

When I shout it out loud.

Chorus 1
N.C   C5
It's my life,
          A♭5   E♭5
It's now or never,
                         B♭5/D   C5
And I ain't gonna live forever,
                      A♭5   B♭5
I just wanna live while I'm a - live.
B*   C5
(It's my life.)
                          A♭5   E♭5
My heart is like an open highway,

Like Frankie said,
          B♭5/D   C5
I did it my way.
                      A♭5   B♭5
I just wanna live while I'm a - live,
          B* C5 | N.C | C5 | N.C ‖
It's my life.

Verse 2

C⁵   N.C   C⁵
This is for ones who stood their ground,

For Tommy and Gina who never backed down.

Tomorrow's getting harder make no mistake,

F⁵
Luck ain't even luck,

You gotta make your own breaks.

Chorus 2

N.C   C⁵
It's my life,

     A♭5   E♭5
And it's now or never,

              B♭5/D   C⁵
I ain't gonna live forever,

          A♭5   B♭5
I just wanna live while I'm a - live.

B*   C⁵
(It's my life.)

                  A♭5   E♭5
My heart is like an open highway,

Like Frankie said,

   B♭5/D   C⁵
I did it my way.

          A♭5   B♭5
I just wanna live while I'm a - live,

          B* (A♭5)
'Cause it's my life.

Guitar solo

| A♭5 | A♭5 | B♭5 | B♭5 |
| A♭5/C | A♭5/C | F⁵ | F⁵ ‖

Bridge

C⁵
Baby stand tall when they're calling you out,

Don't bend, don't break, baby, don't back down.

96

Chorus 3

N.C   C5
It's my life,

        A♭5   **E♭5**
And it's now or never,

             B♭5/D   **C5**
'Cause I ain't gonna live forever,

        A♭5   **B♭5**
I just wanna live while I'm a - live.

B*   **C5**
(It's my life.)

          A♭5   **E♭5**
My heart is like an open highway,

Like Frankie said,

  B♭5/D   **C5**
I did it my way.

        A♭5   **B♭5**
I just wanna live while I'm a - live.

Chorus 4

    B* **C5**
(It's my life.)

        A♭5   **E♭5**
And it's now or never,

        B♭5/D   **C5**
I ain't gonna live forever,

        A♭5   **B♭5**
I just wanna live while I'm a - live.

B*   **C5**
(It's my life.)

          A♭5   **E♭5**
My heart is like an open highway,

Like Frankie said,

  B♭5/D   **C5**
I did it my way.

        A♭5   **B♭5**
I just wanna live while I'm a - live,

        B* **C5**
'Cause it's my life!

Jenny Don't Be Hasty

Words & Music by Paolo Nutini & James Hogarth

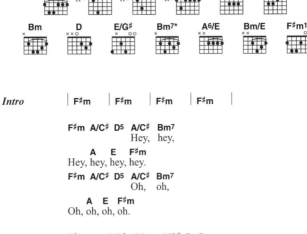

Intro | F♯m | F♯m | F♯m | F♯m |

F♯m A/C♯ D5 A/C♯ Bm7
            Hey,   hey,

       A   E   F♯m
Hey, hey, hey, hey.

F♯m A/C♯ D5 A/C♯ Bm7
            Oh,   oh,

       A   E   F♯m
Oh, oh, oh, oh.

Verse 1

F♯m   A/C♯ D5   A/C♯ Bm7
You said you'd marry me if   I was twenty three,

                  A   E F♯m
But I'm one that you can't see   if I'm only eighteen.

          A/C♯ D5   A/C♯ Bm7
Tell me who makes these rules,   obviously not you,

          A   E F♯m
Who are you answer - ing to?

Chorus 1

F♯m   A
Oh, Jenny don't be hasty,

                 Bm7*   F♯m
No, don't treat me like a   ba - by.

D   A
   Let me take you where you'll let me,

                 Bm7* F♯m   D   F♯m
Because leaving just up - sets me. Oh yeah.

Link
F♯m A/C♯ D5 A/C♯ Bm7
              Yeah, yeah,

    A   E F♯m
Oh, oh, oh, oh.

Verse 2

F♯m   A/C♯ D5   A/C♯ Bm7
  And I'll be a - round a - gain   to see these other men,

         A   E   F♯m
That are more ade - quate   in the age department.

         A/C♯ D5   A/C♯ Bm7
And I did not think you cared,   there'd be no problems here,

         A   E   F♯m
But now you're looking at me like you're disgusted.

         A/C♯ D5   A/C♯   Bm7
Then I'm definite - ly   waiting for you to smile and change your mind,

         A   E   F♯m
Then I'll say I'm sorry and I'll wrap my arms 'round your body.

         A/C♯ D5   A/C♯ Bm7
I really hope   that you for - give in a hurry

         A   E   F♯m
And don't just ask me to leave.

Chorus 2

F♯m   A
Oh, Jenny don't be hasty,

             Bm7* F♯m
No don't treat me like a   baby.

D   A
  Let me take you where you'll let me,

            Bm7* F♯m
Because leaving just up - sets me.

D   A
  Oh, Jenny you are crazy,

            Bm   F♯m
First I'm perfect, then I'm la - zy.

D   A
  And I was calling you my baby,

E/G♯   Bm7*
  And all the times that you just   left me,

D   E
  And it kills me so, whoo, hoo, hoo.

Guitar solo ‖: F#m A6/E Bm/E A6/E │ Bm7* │ Bm7* A E │ F#m :‖

Chorus 3

F#m   A
Whoa, Jenny don't be hasty,
                      Bm7* F#m
No don't treat me like a   baby.
D   A
    Let me take you where you'll let me,
                    Bm7* F#m
Because leaving just up - sets me.
D   A
    Oh, Jenny you are crazy,
                      Bm   F#m
First I'm perfect, then I'm la - zy.
D   A
    And I was calling you my baby,
E/G#   Bm7*
    And all those times that you just   left me,
D   F#m A6/E Bm/E A6/E Bm7*
And it kills me._____

        A   E   F#m
Yeah, yeah, yeah, yeah.
           A6/E Bm/E A6/E Bm7*
Oh yeah.
        A   E   F#m
Oh, oh, oh, oh.

Outro

F#m   A6/E   Bm/E A6/E Bm7*
You said you'd marry me   if I was twenty three,
                    A   E   F#11
But I'm one that you can't see if I'm only eighteen.

100

Leave Right Now

Words & Music by Francis Eg White

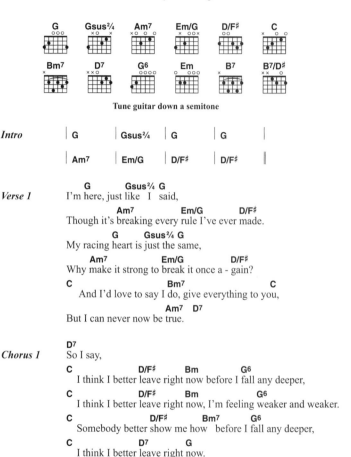

Tune guitar down a semitone

Intro | G | Gsus²⁴ | G | G |

           | Am⁷ | Em/G | D/F♯ | D/F♯   ‖

Verse 1
           G   **Gsus²⁴ G**
I'm here, just like I   said,
                  Am⁷   **Em/G**   **D/F♯**
Though it's breaking every rule I've ever made.
               G   **Gsus²⁴ G**
My racing heart is just the same,
             Am⁷   **Em/G**   **D/F♯**
Why make it strong to break it once a - gain?
    C   **Bm⁷**   **C**
  And I'd love to say I do, give everything to you,
                   Am⁷ **D⁷**
But I can never now be true.

Chorus 1
  D⁷
So I say,
    C   **D/F♯**   **Bm**   **G⁶**
  I think I better leave right now before I fall any deeper,
    C   **D/F♯**   **Bm**   **G⁶**
  I think I better leave right now, I'm feeling weaker and weaker.
    C   **D/F♯**   **Bm⁷**   **G⁶**
  Somebody better show me how   before I fall any deeper,
    C   **D⁷**   **G**
  I think I better leave right now.

Verse 2

Gsus²⁄₄ G Gsus²⁄₄ G
I'm here, so please ex - plain,

    Am⁷   Em/G   D/F♯
Why you're opening up a healing wound a - gain?

      G   Gsus²⁄₄ G
I'm a little more careful, per - haps it shows?

   Am⁷   Em/G   D/F♯
But if I lose the highs at least I'll spare the lows.

 C   Bm⁷   C
And I would tremble in your arms, what could be the harm,

       C   D⁷
To feel my spirit come?

Chorus 2

D⁷
So I say,

C   D/F♯   Bm⁷   G⁶
I think I better leave right now before I fall any deeper,

C   D/F♯   Bm⁷   G⁶
I think I better leave right now, I'm feeling weaker and weaker.

C   D/F♯   Bm⁷   G⁶
Somebody better show me how before I fall any deeper,

C   D⁷   G   (Em)
I think I better leave right now.

Bridge

Em   Bm⁷
I wouldn't know how to say how good it feels seeing you today.

Am⁷   Bm⁷   B⁷
I see you've got your smile back, like you say you're right on track but,

Em   Bm⁷
You may never know why once bitten, twice is shy.

Am⁷
If I'm proud perhaps I should explain,

D⁷   B⁷/D♯
I couldn't bear to lose you again.

               C   D/F♯   Bm7   G6

Chorus 3   I think I better leave right now before I fall any deeper,

               C   D/F♯   Bm7   G6

       I think I better leave right now, I'm feeling weaker and weaker.

               C   D/F♯   Bm7   G6

       Somebody better show me how   before I fall any deeper,

               C   D7   C   D/F♯   Bm7   G6

       I think I better leave right now._____

                    C

       Yes I will,

                             D/F♯   Bm7   G6

       I think I better leave right now, I'm feeling weaker and weaker.

               C   D/F♯   Bm7   G6

       Somebody better show me how   before I fall any deeper,

               C   D7   G

       I think I better leave right now.

La Ritournelle

Words & Music by Sebastien Tellier

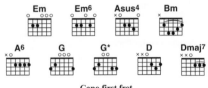

Capo first fret

Intro

‖: Em | Em⁶ | Asus⁴ | Bm | A⁶ :‖ *Play 4 times*

| G | G* | D | Dmaj⁷ |

| G | G* | Bm | A⁶ | A⁶ |

‖: Em | Em⁶ | Asus⁴ | Bm | A⁶ :‖

‖: G | Em | Bm | A⁶ :‖

| A⁶ | Em | Em | G | Asus⁴ |

| Bm | Bm | Bm | Bm ‖

Verse

Em
Nothing's gonna change my love for you.

Em⁶   Asus⁴   Bm   A⁶
   I wanna spend my life with you,

        Em
So we'll make love on the grass under the moon.

Em⁶   Asus⁴   Bm   A⁶
   No one can tell, damned if I do.

cont.

       Em
Forever journey on golden avenues,

Em⁶   **Em**   **Asus⁴**   **Bm** **A⁶**
Drift in your eyes since I love you, oh.

Em⁶   **Asus⁴**
I've got beat in my veins for only rule,

Love is to share, mine is for you.

Intro   ‖: **Bm** | **A⁶** | **G** | **Em** :‖

        | **Bm** | **A⁶** | **A⁶** |

        ‖: **Em** | **Em⁶** | **Asus⁴** | **Bm** | **A⁶** :‖ *Play 4 times*

        ‖: **Em** | **Em⁶** | **Asus⁴** | **Bm** | **A⁶** :‖ *Slowing down*

        | **Em** ‖

Like I Love You

Words & Music by Justin Timberlake, Charles Hugo,
Pharrell Williams, Terrence Thornton & Gene Thornton

Bm   B5   C5   A5   G   F#m   C#m7b5   F#

Intro

Bm
Just something about you,

The way I'm looking at you, whatever.
                 B5 C5 A5
Keep looking at me.

Bm
  You getting scared now,

Right?
                         B5   **C5 A5**
Don't fear me baby, it's just Justin.

Bm
  Feel good right?
      B5 C5 A5
Listen.

Verse 1

Bm
  I kind of noticed something weren't right,
            B5 C5 A5
In your colourful face.

Bm
  It's kind of weird to me,

Since you're so fine,
                     B5 C5 A5
If it's up to me your face will change.

Bridge 1

Bm
If you smile then that should set the tone,
        B5 C5 A5
Just be limber.
    Bm
And if you let go, the music should groove your bones.
        B5 C5 A5
Just remember,

Chorus 1

      Bm
Sing this song with me,

Ain't nobody love you like I love you,
          B5   **C5**   **A5 Bm**
You're a good girl and that's what makes me trust you.

Late at night, I talk to you,
        B5   **C5**   **A5**
You will know the difference when I touch you.

Verse 3

Bm
People are so phony,

Nosey 'cause they're lonely,

Aren't you sick of the same thing?

They say so and so was dating,

Love you or they're hating,

When it doesn't matter anyway,
      B5   **C5**   **A5**
'Cause we're here to - night.

Bridge 2   As Bridge 1

Chorus 2   As Chorus 1

Middle

Bm
     You know I can make you happy,

I could change your life.

    B⁵   **C⁵ A⁵** **Bm**
If you give me   that   chance,

To be your man,

I won't let you down baby.

    B⁵   **C⁵ A⁵** **Bm**
If you give me   that   chance,

To be your man,

Here baby, put on my jacket.

And then,

G   **F♯m**   **Bm**   **G** **F♯m** | **Bm**
  May - be we'll fly the night a - way,

    G   **F♯m**   **Bm**   **C♯m⁷♭⁵**
Girl,   may - be we'll fly the night a - way,

F♯
Girl.

Bm
Ma, what ya wanna do?

I'm in front of you,

Grab a friend see I can have fun with two.

Or me and you put on a stage show,

       B⁵   **C⁵**   **A⁵**
And the mall kids that's how to change low.

Bm
From them you heard them say, "Wow, it's the same glow."

Look at me I say, "Yeah, it's the same dough."

We the same type, you my air of life,

      B⁵   **C⁵** **A⁵**
You'd have sleeping in the same bed any night.

Bm
Go rock with me you deserve the best,

Take a few shots,

　　　　Let it burn in your chest.

We could ride down,

Pumping N.E.R.D. in the deck,

　　　　　　　　　　　　B5　　**C5**　**A5**
Funny how a few words turn into sex.
Bm
Play this free, joint called "brain",

Ma, take a hint,

Make me swerve in the lane,

The name Malicious,

And I burn every track,

Clipse and J. Timberlake.

Now how heavy is that?
G　　　**F♯m**　　**Bm**　　　　　　**G**　**F♯m** │ **Bm**
　May - be we'll fly the night a - way,
　　　　G　　　**F♯m**　　**Bm**　　　　　　**C♯m7♭5**
Girl,　may - be we'll fly the night a - way,
F♯
Girl.

Chorus 3　　As Chorus 1

　　　　　　N.C.
Outro　　You know,
　　　　I used to dream about this when I was a little boy.
　　　　I never thought it would end up this way. Drums.
　　　　It's kind of special right? Yeah.
　　　　You know, you think about it,
　　　　Sometimes people just destined.
　　　　Destined to do what they do,
　　　　And that's what it is,
　　　　Now everybody dance.

Little Lion Man

Words & Music by Marcus Mumford

Bm D5 Bm♭6 D A(add11) G(add9) G(add9/F♯)
G(add9)/E Bm7 Gmaj9 A6sus4 Dsus4 G(add9)* Asus4

⑥ = D ③ = G
⑤ = A ② = A
④ = D ① = D

Capo third fret

Intro   ‖: Bm | Bm | D5 | D5 :‖

‖: Bm | Bm♭6 Bm | D | D :‖

Verse 1

Bm
Weep for yourself, my man,

                                     D
You'll never be what is in your heart.

Bm
Weep little lion man,

                                    D
You're not as brave as you were at the start.

A(add11)
Rate yourself and rake yourself,

G(add9)   G(add9)/F♯ G(add9)/E   D
Take all the courage   you   have   left.

       A(add11)
You wasted on fixing all the

G(add9)   G(add9)/F♯ G(add9)/E   D
Problems that you made   in   your own   head.

Chorus 1

    D   **Bm7**   **Gmaj9** **D**
But it was not your fault but mine,

          Bm7   **Gmaj9** **D**
And it was your heart on the line.

       Bm7   **Gmaj9** **D**
I really fucked it up this time,

        A6sus4
Didn't I, my dear?

Didn't I, my?

Link 1   ‖: **Bm** | **Bm♭6 Bm** | **D** | **D**   :‖

Verse 2

Bm
Tremble for yourself, my man,

  Bm♭6   **Bm**   **D**
You know that you have seen this all be - fore.

Bm
Tremble little lion man,

    Bm♭6   **Bm**   **D**
You'll never settle any of your scores.

    A(add11)
Your grace is wasted in your face,

    G(add9)   **G(add9)/F♯** **G(add9)/E** **D**
Your boldness stands a - lone   among the wreck.

    A(add11)
Now learn from your mother or else

G(add9)   **G(add9)/F♯** **G(add9)/E** **D**
Spend your days biting   your own   neck.

Chorus 2

    D   **Bm7**   **Gmaj9** **D**
But it was not your fault but mine,

          Bm7   **Gmaj9** **D**
And it was your heart on the line.

       Bm7   **Gmaj9** **D**
I really fucked it up this time,

        A6sus4
Didn't I, my dear?

Chorus 3

D   Bm⁷   Gmaj⁹   D
But it was not your fault but mine,

               Bm⁷   Gmaj⁹ D
And it was your heart on the line.

          Bm⁷   Gmaj⁹ D
I really fucked it up this time,

             A⁶sus⁴
Didn't I, my dear?

             (Bm)
Didn't I, my dear?

Interlude

‖: Bm | Bm | D | D   :‖ Dsus⁴ | D |

| G(add9)* | G(add9)* | Asus⁴ | D⁵ | G(add9)* | G(add9)* ‖

Asus⁴ D⁵ G(add9)*
Ah._____

      Asus⁴ D⁵ G(add9)*
Ah._____

      Asus⁴ D⁵ G(add9)*
Ah._____

      Asus⁴ D⁵ G(add9)*
Ah._____

      Asus⁴ D⁵ G(add9)*
Ah._____

      Asus⁴ D⁵ G(add9)*
Ah._____

Chorus 4

G(add9)* Bm⁷   Gmaj⁹ D
But it was not your fault but mine,

            Bm⁷   Gmaj⁹ D
And it was your heart on the line.

         Bm⁷   Gmaj⁹ D
I really fucked it up this time,

            A⁶sus⁴
Didn't I, my dear?

           N.C.
But it was not your fault but mine,

And it was your heart on the line.

I really fucked it up this time,

Didn't I, my dear?

        D⁵
Didn't I, my dear?

Lose Yourself

Words & Music by Marshall Mathers, Jeff Bass & Luis Resto

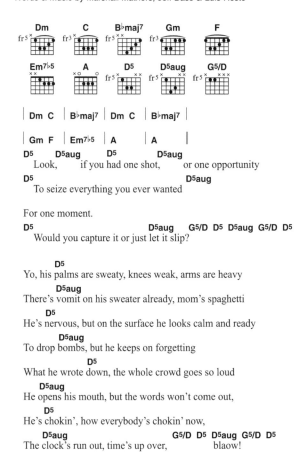

Intro
| Dm C | B♭maj7 | Dm C | B♭maj7 |

| Gm F | Em7♭5 | A | A |

D5   **D5aug**   **D5**   **D5aug**
Look,   if you had one shot,   or one opportunity

D5   **D5aug**
To seize everything you ever wanted

For one moment.
D5   **D5aug**   **G5/D D5 D5aug G5/D D5**
Would you capture it or just let it slip?

          D5
Verse 1   Yo, his palms are sweaty, knees weak, arms are heavy

            D5aug
There's vomit on his sweater already, mom's spaghetti

         D5
He's nervous, but on the surface he looks calm and ready

        D5aug
To drop bombs, but he keeps on forgetting

             D5
What he wrote down, the whole crowd goes so loud

       D5aug
He opens his mouth, but the words won't come out,

       D5
He's chokin', how everybody's chokin' now,

     D5aug   **G5/D D5 D5aug G5/D D5**
The clock's run out, time's up over,   blaow!

Snap back to reality, oh there goes gravity

D⁵aug
Oh, there goes Rabbit, he choked

      D⁵
He's so mad, but he won't give up that easy

       D⁵aug
No, he won't have it, he knows his whole back city's ropes

      D⁵
It don't matter, he's dope.

He knows that, but he's broke

       D⁵aug
He's so stacked that he knows

When he goes back to his mobile home, that's when it's

D⁵
Back to the lab again yo,

This whole rap city

     D⁵aug   **G⁵/D** **D⁵** **D⁵aug** **G⁵/D** **D⁵**
He better go capture this moment and hope it   don't pass   him.

      D⁵
Chorus 1   You better lose yourself in the music, the moment

      D⁵aug
You own it, you better never let it go,

        D⁵
You only get one shot, do not miss your chance to blow

     D⁵aug
This oppor - tunity comes once in a lifetime yo.

      D⁵
You better lose yourself in the music, the moment

      D⁵aug
You own it, you better never let it go

      D⁵
You only get one shot, do not miss your chance to blow

     D⁵aug   **G⁵/D D⁵**   **D⁵aug** **G⁵/D** **D⁵**
This oppor - tunity comes once in a life -   time (you bet - ter...)

Verse 2

D5
His soul's escaping, through this hole that it's gaping

D5aug
This world is mine for the taking

   D5
Make me King, as we move toward a, new world order

D5aug   **D5**
A normal life is borin', but superstardom's close to post mortem

     D5aug
It only grows harder, only grows hotter

He blows us all over these ho's is all on him

      D5aug
Coast to coast shows, he's know as the globetrotter

  G5/D D5 **D5aug G5/D D5**
Lone - ly roads, God on - ly knows.

He's grown farther from home, he's no father

  D5aug
He goes home and barely knows his own daughter

  D5
But hold your nose 'cause here goes the cold water

  D5aug
These ho's don't want him no mo, he's cold product

  D5
They moved on to the next schmoe who flows

  D5aug
He nose dove and sold nada

      D5
So the soap opera is told and unfolds

       D5aug
I suppose it's old partner, but the beat goes on,

   G5/D D5 **D5aug G5/D D5**
Da da dum da dum da da da da

     D5
Chorus 2 You better lose yourself in the music, the moment

  D5aug
You own it, you better never let it go

   D5
You only get one shot, do not miss your chance to blow

   D5aug
This oppor - tunity comes once in a lifetime yo.

115

D5
You better lose yourself in the music, the moment

D5aug
You own it, you better never let it go

D5
You only get one shot, do not miss your chance to blow

D5aug   **G5/D D5**   **D5aug G5/D D5**
This oppor - tunity comes once in a life - time. (You bet - ter...)

Verse 3

D5
No more games, I'm - a change what you call rage

D5aug
Tear this motherfuckin' roof off like two dogs caged

D5
I was playin' in the beginnin', the mood all changed

D5aug
I been chewed up and spit out and booed off stage.

D5
But I kept rhymin' and stepwritin the next cypher

D5aug
Best believe somebody's payin' the pied piper

D5   **D5aug**
All the pain inside amplified by the fact

        G5/D D5   **D5aug G5/D**   **D5**
That I can't get by with my   nine to   five

D5aug
And I can't provide the right type of life for my family

D5
'Cause man, these goddam food stamps don't buy diapers

D5aug
And it's no movie, there's no Mekhi Pfeiffer, this is my life

D5
And these times are so hard and it's getting even harder

D5aug
Tryin' to feed and water my seed, plus

D5
Teeter-totter caught up between trying to be a father and a primadonna

D5aug
Baby mama drama's screamin' on and

G5/D D5   **D5aug**   **G5/D D5**
Too much   for me   to wan - na

cont.   Stay in one spot, another jam or not

D⁵aug
Has gotten me to the point, I'm like a snail

      D⁵
I've got to formulate a plot or I end up in jail or shot

     D⁵aug   **D⁵**
Suc - cess is my only motherfuckin' option, failure's not.

Mom, I love you, but this trailer's got to go

D⁵aug
I cannot grow old in Salem's lot

     D⁵
So here I go is my shot.

                           D⁵aug   **G⁵/D** **D⁵**
Feet fail me not this may be the only opportunity that I got.

D⁵aug **G⁵/D** **D⁵**
You   bet - ter

                D⁵
Chorus 3   You better lose yourself in the music, the moment

      D⁵aug
You own it, you better never let it go

           D⁵
You only get one shot, do not miss your chance to blow

          D⁵aug
This oppor - tunity comes once in a lifetime yo.

      D⁵
You better lose yourself in the music, the moment

      D⁵aug
You own it, you better never let it go

           D⁵
You only get one shot, do not miss your chance to blow

          D⁵aug   **G⁵/D** **D⁵**   **D⁵aug** **G⁵/D** **D⁵**
This oppor - tunity comes once in a life -   time. (You   bet - ter...)

       D⁵   **D⁵aug**
Outro   You can do anything you set your mind to, man.

D⁵	**D⁵aug**	**D⁵**	**D⁵aug**	
D⁵	**D⁵aug G⁵/D D⁵ D⁵aug G⁵/D** ‖
D⁵	**D⁵aug**	**D⁵**	**D⁵aug**	
D⁵	**D⁵aug**	**D⁵**	**D⁵aug G⁵/D D⁵ D⁵aug G⁵/D** ‖

Fade out over last 8 bars

Little Sister

Words & Music by Josh Homme, Troy Van Leeuwen & Joey Castillo

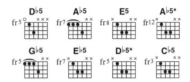

⑥ = D♭   ③ = G♭
⑤ = A♭   ② = B♭
④ = D♭   ① = E♭

Intro   ‖: D♭5 A♭5 │ E5 A♭5* │ D♭5 A♭5 │ E5 A♭5* :‖

Verse 1

D♭5   A♭5   E5   A♭5* D♭5
    Hey, sister why you all a - lone?

A♭5   E5   A♭5* D♭5
I'm standing out your win - dow.

A♭5 E5   A♭5* G♭5   E5   E♭5 D♭5
Hey little sister, can I come in - side, dear?_____

A♭5   E5   A♭5*   D♭5
I wanna show you all my love,

A♭5   E5   A♭5* D♭5
I wanna be the only one,

A♭5   E5   A♭5* G♭5 E5   E♭5 D♭5
I know you like no - body ever, baby._____

Chorus 1

D♭5*   C♭5   E♭5   D♭5
Little sis - ter, can't you find another way?

C♭5   E♭5   D♭5
No more living life be - hind a sha - dow.

D♭5*   C♭5   E♭5   D♭5
Little sis - ter, can't you find another way?

C♭5   E♭5
No more living life be - hind a shadow.

Instrumental 1 ‖: D♭5 A♭5 │ E5 A♭5* │ D♭5 A♭5 │ E5 A♭5* :‖

Verse 2

D♭5　A♭5　　　E5　　　A♭5*　D♭5
You whisper secrets in my ear,

A♭5　　E5　　　A♭5*　　D♭5
Slowly dancing cheek to cheek,

　　　A♭5　　E5　　A♭5*　　　　　　G♭5　　　E5　　E♭5　D♭5
It's such a sweet thing when you open up, baby._____

　　　　A♭5　　　E5　　A♭5*　　D♭5
They say I'll only do you wrong,

　　　　A♭5　　　　E5　　　A♭5*　　D♭5　　A♭5
We come to - gether 'cause I under - stand

　　E5　　　　A♭5*　G♭5 E5　　E♭5　D♭5
Just who you really are, baby._____

Chorus 2

D♭5*　　　C♭5　　　　　　E♭5　　　　　　D♭5
Little sis - ter can't you find another way?

　　　　　C♭5　　　　　　E♭5　　　　　D♭5
No more living life be - hind a sha - dow.

D♭5*　　　C♭5　　　　　　E♭5　　　　　　D♭5
Little sis - ter can't you find another way?

　　　　C♭5　　　　　E♭5
No more living life be - hind a shadow.

Instrumental 2 ‖: N.C.　│ N.C.　│ N.C.　│ N.C.　:‖

‖: D♭5　A♭5 │ E5　A♭5* │ D♭5　A♭5 │ E5　A♭5* :‖　*Play 6 times*

Outro　　　　│ D♭5　A♭5 │ E5　A♭5* │ D♭5　　　‖

119

Mr. Brightside

Words & Music by Brandon Flowers, Dave Keuning, Mark Stoermer & Ronnie Vannucci

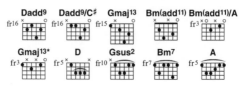

Tune guitar down a semitone

Intro | Dadd9 | Dadd9/C♯ | Gmaj13 | Gmaj13 ‖

Verse 1
Dadd9   Dadd9/C♯   Gmaj13
Coming out of my cage and I've been doing just fine,

                                 Dadd9
Gotta, gotta be down, because I want it all.

                    Dadd9/C♯   Gmaj13
It started out with a kiss, how did it end up like this?

It was only a kiss, it was only a kiss.

Verse 2
Dadd9   Dadd9/C♯   Gmaj13
Now I'm falling a - sleep and she's calling a cab,

                            Dadd9
While he's having a smoke and she's taking a drag.

                Dadd9/C♯   Gmaj13
Now they're going to bed and my stomach is sick,

                          Bm(add11)
And it's all in my head, but she's touching his chest, now.

               Bm(add11)/A
He takes off her dress, now.

            Gmaj13*
Let me go.

Pre-chorus 1
Bm(add11)   Bm(add11)/A
And I just can't look, it's killing me,

          Gmaj13*
And taking control.

Chorus 1

    D   **Gsus²**   **Bm⁷**
Jealousy, turning saints in - to the sea,

A   **D**
Swimming through sick lullabies,

Gsus²   **Bm⁷**
Choking on your alibis.

A   **D**
But it's just the price I pay,

Gsus²   **Bm⁷**
Destiny is calling me,

A   **D**   **Gsus²**
Open up my eager eyes,____

Bm⁷   **A**
  'Cause I'm Mr. Brightside.

Link 1   ‖: D | Gsus² | Bm⁷ | A   :‖

Verse 3   As Verse 1

Verse 4   As Verse 2

Pre-chorus 2 As Pre-chorus 1

Chorus 2   As Chorus 1

Link 2   ‖: D | Gsus² | Bm⁷ | A   :‖

Outro   ‖: D | Gsus² | Bm⁷ | A   :‖ *Play 4 times*
          I never._____

Maps

Words & Music by Karen O, Nicholas Zinner & Brian Chase

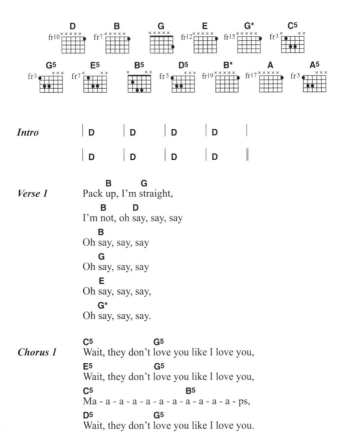

Intro | D | D | D | D |

| D | D | D | D   ‖

Verse 1

         B   **G**
Pack up, I'm straight,

      B   **D**
I'm not, oh say, say, say

      B
Oh say, say, say

    G
Oh say, say, say

    E
Oh say, say, say,

     G*
Oh say, say, say.

Chorus 1

C5   **G5**
Wait, they don't love you like I love you,

E5   **G5**
Wait, they don't love you like I love you,

C5   **B5**
Ma - a - a - a - a - a - a - a - a - a - a - ps,

D5   **G5**
Wait, they don't love you like I love you.

Link 1 | B* A | G* | E D | G* ‖

B   **G**
Verse 2   Made off, don't stray,

B
Well my kind's your kind

D
I'll stay the same.

B   **G**
Pack up, don't stray

E
Oh say, say, say,

G*
Oh say, say, say.

C5   **G5**
Chorus 2   Wait, they don't love you like I love you,

E5   **G5**
Wait, they don't love you like I love you,

C5   **B5**
Ma - a - a - a - a - a - a - a - a - a - a - ps,

D5   **G5**
Wait, they don't love you like I love you,

C5   **G5**
Wait, they don't love you like I love you,

E5   **G5**
Ma - a - a - a - a - a - a - a - a - a - a - ps.

C5   **B5**   **D5 G5**
Wait, they don't love you like I love you.

Solo | C5 | G5 A5 | C5 | G5 A5 |

| C5 | G5 A5 | C5 | B5 G5 |

| C5 | A5 D5 | G5 | G5 D5 |

| C5 | A5 D5 | G5 | G5 D5 ‖

C5   G5
Chorus 3   Wait, they don't love you like I love you,
E5   G5
Wait, they don't love you like I love you,
C5   B5
Ma - a - a - a - a - a - a - a - a - a - a - ps,
D5   G5
Wait, they don't love you like I love you.
C5   G5
Wait, they don't love you like I love you,
E5   G5
Ma - a - a - a - a - a - a - a - a - a - a - ps.
C5   B5   D5 G5
Wait, they don't love you like I love you.

Outro | C5 | G5 A5 | C5 | G5 A5 |

| C5 | G5 A5 | C5 | B5 A5 G5 ‖

Naïve

Words & Music by Luke Pritchard, Hugh Harris, Max Rafferty & Paul Garred

Intro | G#m7 | E | F#/A# | B F#7 ||

Verse 1
          G#m7   E
I'm not sayin' it was your fault,

                              F#/A#
Although you could have done more.

           B   F#7   G#m7
Oh, you're so na - ïve yet so.

                E
How could this be done,

                    F#/A#
By such a smiling sweet - heart?

        B   F#7   G#m7
Oh, and your sweet and pretty face,

                     E
It's such an ugly word,

                     F#/A#
For something so beauti - ful.

        B   F#7
Oh, that everytime I look inside.

Chorus 1
        E   B   F#/A#   E
I know, she knows that I'm   not fond of asking.

                      B
True or false it may be,

           F#/A#   E
Oh, she's still out to get me.

                 G#m7   F#/A#   E
And I know, she knows that I'm not fond of asking.

                        B
True or false it may be,

           B/A#
She's still out to get me.

Link 1   ‖ E   ‖ E   ‖

                    G♯m⁷   **E**
Verse 2   I may say it was your fault,

                                                    F♯/A♯
                    Because I know you could have done more.

                            B   **F♯7**   **G♯m⁷**
                    Oh you're so na - ïve yet so,

                                    E
                    How could this be done,

                                        F♯/A♯
                    By such a smiling sweet - heart?

                            B   **F♯7**   **G♯m⁷**
                    Oh, and your sweet and pretty face,

                    It's such an ugly word,
                    E   **F♯/A♯**
                        For something so beauti - ful,
                            B   **F♯7**
                    That everytime I look inside.

Chorus 2   As Chorus 1

Interlude   ‖ G♯m F♯/A♯* ‖ Badd¹¹ C♯m ‖ Bsus4   ‖ Emaj⁷   ‖

                   ‖ G♯m F♯/A♯* ‖ Badd¹¹ C♯m ‖ F♯   ‖ F♯   ‖

                    G♯m⁷   **E**
Verse 3   So how could this be done,

                                        F♯/A♯
                    By such a smiling sweet - heart?

                            B   **F♯7**   **G♯m⁷**
                    Oh you're so na - ïve yet so,

                    Such an ugly thing,
                    E   **F♯/A♯**
                        For someone so beauti - ful,
                            B   **F♯7**
                    But everytime you're on his side.

Chorus 3   As Chorus 1

Outro
E D#m* G#m7
      B   E D#m* G#m7
Just don't let me down.
      B
Just don't let me down.

   E   D#m*   G#m7
‖: Hold on to your kite,
       B   E D#m* G#m7
Just don't let me down.
      B
Just don't let me down. :‖

E   D#m*   G#m7
Hold on to this kite,
      B   E D#m* G#m7
Just don't let me down.

Just don't let me down.

1973

Words & Music by James Blunt & Mark Batson

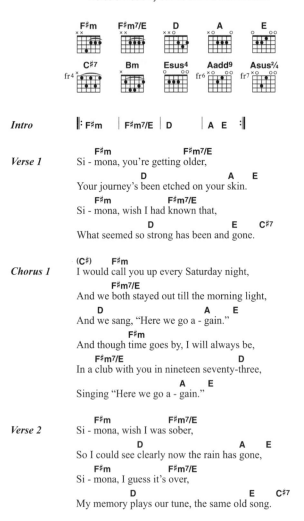

Intro |: F♯m | F♯m7/E | D | A E :|

Verse 1

      F♯m   F♯m7/E
Si - mona, you're getting older,

                D   A   E
Your journey's been etched on your skin.

      F♯m   F♯m7/E
Si - mona, wish I had known that,

                  D   E   C♯7
What seemed so strong has been and gone.

Chorus 1

     (C♯)   F♯m
I would call you up every Saturday night,

             F♯m7/E
And we both stayed out till the morning light,

      D   A   E
And we sang, "Here we go a - gain."

           F♯m
And though time goes by, I will always be,

      F♯m7/E   D
In a club with you in nineteen seventy-three,

               A   E
Singing "Here we go a - gain."

Verse 2

      F♯m   F♯m7/E
Si - mona, wish I was sober,

               D   A   E
So I could see clearly now the rain has gone,

      F♯m   F♯m7/E
Si - mona, I guess it's over,

              D   E   C♯7
My memory plays our tune, the same old song.

Chorus 2	As Chorus 1

Bridge

      D Bm A E
Ah._____

      D Bm E C♯7
Ah._____

Chorus 3	As Chorus 1

Chorus 4	As Chorus 1

Outro

      D
And though time goes by, I will always be,

     Esus4   **E**   **A(add9)**
In a club with you in nineteen seventy-three.

‖: **A(add9)** | **Asus²⁄₄** | **A(add9)** | **Asus²⁄₄** :‖ *Repeat to fade*

The One I Love

Words & Music by David Gray & Craig McClune

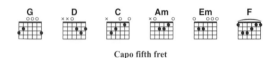

Capo fifth fret

Verse 1
               G   **D**
Gonna close my eyes girl and watch you go,
        C   **G**
Running through this life darling like a field of snow.
                     D
As the tracer glides in its graceful arc,
        C   **Am**   **G**
Send a little prayer out to ya 'cross the falling dark.

Chorus 1
        (G)   **C**   **Am**
Tell the repo man and the stars above,
                   G
That you're the one I love, yeah.

Verse 2
     G   **D**
Perfect summer's night, not a windy breeze,
         C   **G**
Just the bullets whispering gentle amongst the new green leaves.
                           D
There's things I might have said, only wish I could,
        C   **Am**   **G**
Now I'm leaking life faster than I'm leaking blood.

Chorus 2
        (G)   **C**   **Am**
Tell the repo man and the stars above,
                   G
That you're the one I love,
            D
You're the one I love,
        Am   **C**   **Em** **D** **C** **G** **F** **C**
The one I love,   yea - hee.
        Em **D** **C**
Yea - hoo.

Verse 3

    C   G   D

Don't see E - lysium, don't see no fiery hell,

        C   G

Just the lights up bright baby in the bay hotel.

                           D

Next wave coming in like an ocean roar,

        C   Am   G

Won't you take my hand darling on that old dancefloor.

Chorus 3

(G)   C   Am

We can twist and shout, do the turtle dove.

             G

And you're the one I love,

         D

You're the one I love,

   Am   C

The one I love.

     Em D C G F C

Yee-hee.

     Em D C G

Yee-hoo.

Paper Planes

Words & Music by Mick Jones, Joe Strummer, Paul Simonon,
Topper Headon, Thomas Pentz & Mathangi Arulpragasam

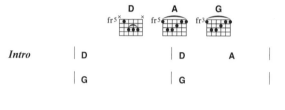

Intro	| D	| D A |
	| G	| G |

Verse 1

‖: **D**
I fly like paper, get high like planes,

                                                 A
If you catch me at the border I got visas in my name.

G
If you come around here, I make 'em all day,

I get one down in a second if you wait. :‖

‖: **D**
Sometimes I feel sitting on trains,

                                     A
Every stop I get to I'm clocking that game.

G
Everyone's a winner now we're making our fame,

Bona fide hustler making my name. :‖

Chorus 1

‖: **D**
All I wanna do is (BANG! BANG! BANG! BANG!)

And… (KER-CHING!)

                    A
And take your mon - ey.

G
All I wanna do is (BANG! BANG! BANG! BANG!)

And… (KER-CHING!)

                    A
And take your mon - ey. :‖

	D
Verse 2	‖:Pirate skulls and bones,

                                   A

       Sticks and stones and weed and bombs.

       G

       Running when we hit 'em,

       Lethal poison for their system. :‖

       D

      ‖:No one on the corner has swag like us,

                            A

       Hit me on my banner prepaid wire - less.

         G

       We pack and deliver like UPS trucks,

       Already going hell, just pumping that gas. :‖

Chorus 2   As Chorus 1

       D

Verse 3   M.I.A., third world democracy,

       A   **G**

       Yeah, I got more records than the K.G.B.

       So, uh, no funny business,

       Are you all ready?

       D

       Some, some, some, a-some I murder,

                    A

       Some, a-some I let go.

       G

       Some, some, some, a-some I murder,

       Some, a-some I let go.

Chorus 3   As Chorus 1

Outro | D | D   A |

              | G | G   ‖

Patience

Words & Music by Mark Owen, Gary Barlow,
Jason Orange, Howard Donald & John Shanks

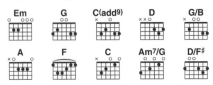

Capo third fret

Intro
| Em   G | C(add9) D ‖

Verse 1

(D)   Em   C(add9) D
Just have a little   pa - tience,

                          Em   G C(add9) D
I'm still hurting from a   love I lost.

                          Em   G C(add9) D
I'm feeling your frustra - tion,

                          Em   G   C(add9) D
But any minute all the   pain will stop.

Pre-chorus 1

(D)   C(add9)   G
Just hold me close inside your arms tonight,

C(add9)   A
   Don't be too hard on my emotions.

Chorus 1

        Em C(add9) G D
'Cause I,_____

        Em   C(add9) G D
Need time,_____

            Em   C(add9)
My heart is numb, has no feel - ing,

     G   D
So while I'm still heal - ing,

        Em C(add9) G D
Just try, _____

                Em   G   C(add9)
And have a little   pa - tience.

Verse 2

    D   **Em**   **G**   **C(add9) D**
    I really wanna start   ov - er a - gain,

                         Em   **G**   **C(add9) D**
    I know you wanna be my sal - vation,

             Em   **G**   **C(add9) D**
    The one that I can al - ways de - pend.

Pre-chorus 2

    (D)   **C(add9)**   **G/B**
    I'll try to be strong, believe me   I'm trying to move on,

    C(add9)   **A**
    It's complicated but understand me.

Chorus 2

    Em C(add9) G D
    'Cause I,_____

      Em C(add9) G D
    Need time,_____

             Em   **C(add9)**
    My heart is numb, has no feel - ing,

    G   **D**
    So while I'm still heal - ing,

      Em C(add9) G D
    Just try,_____

               F   **C**   **G**
    And have a little   pa - tience, yeah.

           F   **C**   **G**
    Have a little   pa - tience, yeah.

Bridge

    (G)   **C**   **G/B**
    'Cause the scars   run so deep,

             Am   **Am7/G**   **D/F♯** **D**
    It's been hard, but I have to be - lieve,

             Em   **C(add9)** **G**   **D**
    Have a little   pa - tience.

             Em   **C(add9)** **G**   **D**
    Have a little   pa - tience.   Oh,

Em C(add9) G D
'Cause I,————————

Em   C(add9) G D
I just need time,————————

Em   **C(add9)**
My heart is numb, has no feel - ing,

G   **D**
So while I'm still heal - ing,

Em C(add9) G D
Just try,————————

Em   G   C(add9) D
And have a little   pa - tience.————————

Em   G   C(add9) D
Have a little   pa - tience.————————

Em   **C(add9)**
My heart is numb, has no feel - ing,

G   **D**
So while I'm still heal - ing,

Em C(add9) G D
Just try,————————

Em
And have a little   patience.

Poker Face

Words & Music by Stefani Germanotta & Nadir Khayat

Intro | G♯m | G♯m F♯ | G♯m | G♯m F♯ ‖

(F♯)   G♯m
M-m-m-mah.

F♯   G♯m
  M-m-m-mah.

F♯   G♯m
M-m-m-mah.

F♯   G♯m
  M-m-m-mah.

F♯   G♯m
M-m-m-mah.

Verse 1

G♯m   F♯
I wanna hold 'em like they do in Texas Plays,

G♯m   F♯
Fold 'em, let 'em hit me, raise it baby, stay with me. (I love it.)

G♯m   F♯
Luck and intuition play the cards with spades to start,

      G♯m   F♯
And after he's been hooked I'll play the one that's on his heart.

Pre-chorus 1

G♯m   F♯
Oh, whoa, oh, oh, whoa, oh, oh.

G♯m   F♯
  I'll get him hot, show him what I've got.

G♯m   F♯
Oh, whoa, oh, oh, whoa, oh, oh.

G♯m   N.C.
I'll get him hot, show him what I've got.

Chorus 1

G#m   E
  Can't read my, can't read my,

        B
No, he can't read my poker face.

F#/A#
(She's got no love, nobody.)

G#m   E
  Can't read my, can't read my,

        B
No, he can't read my poker face.

F#/A#
(She's got no love, nobody.)

Link 1

G#m   F#
  P-p-p-poker face, p-p-poker face.

    G#m
(M-m-m-mah.)

         F#
P-p-p-poker face, p-p-poker face.

     G#m
(M-m-m-mah.)

Verse 2

G#m   F#
I wanna roll with him, a hard pair we will be,

G#m   F#
  A little gambling is fun when you're with me, (I love it.)

G#m   F#
  Russian Roulette is not the same without a gun,

   G#m   F#
And baby when it's love if it's not rough it isn't fun. (Fun.)

Pre-chorus 2 As Pre-chorus 1

Chorus 2 As Chorus 1

Link 2

G#m   F#
  P-p-p-poker face, p-p-poker face.

    G#m
(M-m-m-mah.)

         F#
P-p-p-poker face, p-p-poker face.

    G#m
(M-m-m-mah.)

F#   G#m
  (M-m-m-mah.)

Bridge

F♯   G♯m
   I won't tell you that I love you, kiss or hug you,
      F♯   G♯m
'Cause I'm bluffin' with my muffin.

                      F♯
I'm not lying I'm just stunnin' with my love-glue-gunnin'.
G♯m
   Just like a chick in the casino,
       F♯   G♯m
Take your bank before I pay you out.
  F♯   G♯m
I promise this, promise this,
       F♯   G♯m
Check this hand 'cause I'm marvellous.

Chorus 3   As Chorus 1

Chorus 4   As Chorus 1

Chorus 5   As Chorus 1

Outro

G♯m   E
   P-p-p-poker face, p-p-poker face.
B   F♯/A♯
   P-p-p-poker face, p-p-poker face.
G♯m   E
   P-p-p-poker face, p-p-poker face.
      B
(M-m-m-mah.)
                F♯/A♯
P-p-p-poker face, p-p-poker face.
        G♯m
(M-m-m-mah.)
            E
P-p-p-poker face, p-p-poker face.
      B
(M-m-m-mah.)
                F♯/A♯
P-p-p-poker face, p-p-poker face.
       N.C.
(M-m-m-mah.)

Roscoe

Words & Music by Timothy Smith

[chord diagrams: G#m (fr4), F#, E]

Intro | G#m | G#m | G#m | G#m ‖

Verse 1

G#m
Stonecutters made them from
F#   E
Stones chosen specially for   you and I,
              G#m
Who will live inside.

The mountaineers gathered tender,
F#   E
Piled high, in which to take a - long,
                                    G#m
Driving many miles, knowing they'd get here.

When they got here, all exhausted,
          F#
On the roof leaks they got started.
          E   G#
And now when the rain comes, we can be thankful.

Chorus 1

G#   F#   E
Ooh, ah, ooh, when the mountain - eers
                                    G#m
Saw that ev'rything fit, they were glad and so they took off.
                   F#   E   G#m
Thought we were de - void, a change or two around this place.
              F#   E   G#m
When they get back they're all mixed up with no one to stay with.

Link 1 　| G♯m　　| G♯m　　　| F♯　　　　|

| F♯　　| E　　| E　　‖

(The village)

         G♯m

Verse 2　The village used to be all one really needs,

         F♯

Now it's filled with hundreds and hundreds of chemicals,

      E

That mostly sur - round you.

                            G♯m

You wish to flee, but it's not like you, so listen to me, listen to me.

Oh, oh, and when the morning comes, we will step outside,

      F♯

We will not find another man inside.

             E

We like the newness, the new - ness of all

                     G♯m

That has grown in our garden soaking for so　long.

Whenever I was a child I wondered what if my name had changed

    F♯

Into something more productive like Roscoe,

        E   G♯m

Been born in eighteen ninety-one, waiting with my Aunt Rosaline.

G♯m   F♯

Chorus 2　Thought we were de - void,

      E   G♯m

A change or two around this place.

      F♯   E   G♯m

When they get back they're all mixed up with no one to stay with.

Interlude　| G♯m　| G♯m　| F♯　| F♯　| E　| E　|

| G♯m　| G♯m　| G♯m　| G♯m　| F♯　| E　| E　‖

Verse 3

E   G#m
Eighteen ninety-one,

                               F#
They roamed around in the forests.

                           E
They made their house from cedars,

                           G#m
They made their house from stones.

                    F#
Oh, they're a little like you,

                   E
And they're a little like me,

             G#m
We are falling leaves.

Chorus 3

G#m   F#
Thought we were de - void,

               E   G#m
A change or two around this place,

      F#   E   G#m
This place, this place.____

G#m   F#   E
When they get back they're all mixed up

                G#m
With no one to stay   with.

            F#   E
When they get back they're all mixed up

                G#m
With no one to stay with.

Steady, As She Goes

Words & Music by Jack White & Brendan Benson

Bm   F♯   A   E   G   A*   B

(chord diagrams: G fr3, A fr5, B fr7)*

Intro

    Drums
    4

‖: Bm F♯ | A   E | Bm F♯ | A   E :‖ *Play 3 times*

| Bm F♯ | A   E   ‖
(Find yourself a)

Verse 1

    (E)   Bm   F♯   A
Find yourself a girl and settle down,
    E   Bm   F♯   A
Live a simple life in a quiet town.

Chorus 1

    E   Bm   F♯   A
Steady as she goes, (steady as she goes.)
    E   Bm   F♯   A
Steady as she goes, (steady as she goes.)
      E   Bm F♯ A E
So steady as she goes.

Link 1

| Bm F♯ | A   E   ‖
          (Your friends have shown a)

Verse 2

     (E)   Bm   F♯   A
Your friends have shown a kink in the single life.
       E   Bm   F♯   A
You've had too much to think, now you need a wife.

Chorus 2

    E   Bm   F♯   A
Steady as she goes, (steady as she goes.)
      E   Bm   F♯   A
So steady as she goes, (steady as she goes.)

143

Bridge 1

    E   G
Well here we go a - gain,

              A*   B
You've found your - self a friend that knows you well.

         A*   G
But no matter what you do,

         A*   E
You'll always feel as though you tripped and fell.

Chorus 3

           Bm F♯ A E   Bm F♯ A
So steady as she goes.

Verse 3

E   Bm   F♯   A
When you have com - pleted what you thought you had to do,

E   Bm   F♯   A
And your blood's de - pleted to the point of stable glue.

E   Bm F♯ A
Then you'll get a - long.

E   Bm F♯ A
Then you'll get a - long.

Chorus 4

E   Bm   F♯   A
Steady as she goes, (steady as she goes.)

   E   Bm   F♯   A
So steady as she goes, (steady as she goes.)

Bridge 2

    E   G
Well here we go a - gain,

            A*   B
You've found your - self a friend that knows you well.

         A*   G
But no matter what you do,

         A*   E
You'll always feel as though you tripped and fell.

Chorus 5

           Bm F♯ A
So steady as she goes.

E   Bm F♯
Steady as she goes.

Verse 4

```
E          Bm         F♯        A
Settle for a girl, neither up or down.
E          Bm            F♯        A
Sell it to the crowd that is gathered round.
E          Bm         F♯        A
Settle for a girl, neither up or down.
E          Bm            F♯          A   E
Sell it to the crowd that is gathered round.
```

Interlude | Bm | Bm | Bm | Bm   ‖

Chorus 6

```
(Bm)          Bm          F♯         A
So steady as she goes, (steady as she goes.)
E          Bm          F♯        A
Steady as she goes, (steady as she goes.)
E          Bm          F♯        A
Steady as she goes, (steady as she goes.)
   E          Bm          F♯        A
So steady as she goes, (steady as she goes.)
```

Outro

```
E          Bm         F♯        A
Steady as she goes, are you steady now?
E          Bm         F♯        A
Steady as she goes, are you steady now?
E          Bm         F♯        A
Steady as she goes, are you steady now?
E          Bm         F♯        A
Steady as she goes, are you steady now?
E          Bm
Steady as she goes.
```

The Seed (2.0)

Words & Music by Cody ChesnuTT & Tariq Trotter

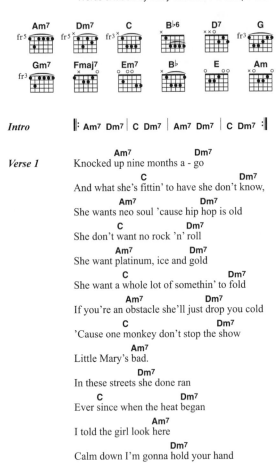

Intro ‖: **Am⁷ Dm⁷** | **C Dm⁷** | **Am⁷ Dm⁷** | **C Dm⁷** :‖

                    Am⁷   **Dm⁷**

Verse 1   Knocked up nine months a - go

                         C   **Dm⁷**

And what she's fittin' to have she don't know,

               Am⁷   **Dm⁷**

She wants neo soul 'cause hip hop is old

             C   **Dm⁷**

She don't want no rock 'n' roll

              Am⁷   **Dm⁷**

She want platinum, ice and gold

                C   **Dm⁷**

She want a whole lot of somethin' to fold

                Am⁷   **Dm⁷**

If you're an obstacle she'll just drop you cold

              C   **Dm⁷**

'Cause one monkey don't stop the show

            Am⁷

Little Mary's bad.

              Dm⁷

In these streets she done ran

      C   **Dm⁷**

Ever since when the heat began

            Am⁷

I told the girl look here

                 Dm⁷

Calm down I'm gonna hold your hand

cont.

        C   Dm⁷
To en - able you to keep the plan

                   Am⁷
Because you're quick to learn

             Dm⁷
And we can make money to burn

        C   Dm⁷
If you all - ow me the latest game

           Am⁷   Dm⁷
I don't ask for much but enough to room to spread my wings

       C   Dm⁷
And a world fittin' to know my name.

Pre-chorus 1

        Am⁷ Dm⁷ C   Dm⁷   Am⁷ Dm⁷ C
I don't ask,   for much these days.

       Dm⁷   B♭6   D⁷   Am⁷
And I don't bitch and whine if I don't get my way.

                 C   G   Dm   G
I only wanna ferti - lize another behind my lover's back,

          C   G   Dm⁷
I sit and watch it grow roots standin' where I'm at.

         C   G   Dm⁷
Ferti - lize another behind my lover's back

         D⁷   Dm⁷   G
And I'm keeping my secrets mine.

Chorus 1

        Am⁷   G   Dm⁷
I push my seed in her bush for life,

           Am⁷   G   Dm⁷ Gm⁷
It's gonna work because I'm pushin' it right

         Fmaj⁷   Em⁷
If Mary dropped my baby girl to - night

           B♭   Am⁷
I would name   her Rock 'N' Roll.

| Am⁷ Dm⁷ | C Dm⁷ | Am⁷ Dm⁷ | C Dm⁷ |

Verse 2

        Am⁷   Dm⁷
Cadi - llac needs space to roam

           C   Dm⁷
Where we headin' for she don't know

        Am⁷   Dm⁷
We in the city where the pros shake rattle 'n' roll

         C   Dm⁷
And I'm a goddang rollin' stone.

        Am⁷   Dm⁷
I don't beg I can hold my own,

cont.

    C   **Dm⁷**
I don't break I can hold a chrome

      Am⁷   **Dm⁷**
And it's weighin' a ton and I'm a son of a gun

     C   **Dm⁷**
My code name is The Only One

            Am⁷
And Black Thought is bad

         Dm⁷   **C**   **Dm⁷**
These streets he done ran ever since when the game be - gan

        Am⁷
I never played the fool

              Dm⁷
Matter of fact I've been keepin' it cool

    C   **Dm⁷**
Since money been changin' hands

      Am⁷   **Dm⁷**
And I'm left to shine, the legacy I leave behind

    C   **Dm⁷**
Be the seed that'll keep the flame

      Am⁷   **Dm⁷**
I don't ask for much but enough room to spread these wings

    C   **Dm⁷**
And a world fittin' to know my name, now listen to me.

Pre-chorus 2   **Am⁷ Dm⁷ C**   **Dm⁷** **Am⁷ Dm⁷ C**
                I don't beg   from no rich man,

     Dm⁷   **B♭⁶**   **D⁷**   **Am⁷** **Dm⁷**
And I don't scream and kick when his shit don't fall in my hands man

          Am⁷   **Dm⁷**
'Cause I know how to still

    C   **G**   **Dm⁷**
Ferti - lize another against my lover's will,

      C   **G**   **Dm**   **G**
I lick the opposition 'cause she don't take no pill

C   **G**   **Dm**   **D⁷**   **Dm⁷**
Oo - ooh you know the deal, you'll be keeping my legend a - live.

Chorus 2
              Am⁷   **G**   **Dm⁷**
I push my seed in her bush for life

              Am⁷   **G**   **Dm⁷** **Gm⁷**
It's gonna work because I'm pushin' it right

           Fmaj⁷   **Em⁷**
If Mary dropped my baby girl to - night

         B♭   **E**
I would name   her Rock 'N' Roll.

E⁷   **Am⁷**   **Dm⁷** **E** **E⁷**
Oh break it down, break it down, down for me.

| Am G | Dm G | E | E⁷ | ‖

              Am⁷   **G**   **Dm**   **G**
Chorus 3
I push my seed somewhere deep in her chest

              Am⁷   **G**   **Dm⁷** **Gm⁷**
I push it naked 'cause I've taken my test

           Fmaj⁷   **Em⁷**
Deliverin' Mary it don't matter the sex

         B♭   **Am⁷** **Dm⁷** **C** **Dm⁷**
I'm gonna name it Rock 'N' Roll.

              Am⁷   **G**   **Dm**
Chorus 4
I push my seed in her bush for life

              Am⁷   **G**   **Dm⁷** **Gm⁷**
It's gonna work because I'm pushin' it right

           Fmaj⁷   **Em⁷**
If Mary dropped my baby girl to - night

             B♭   **Am⁷** **Dm⁷**
I would name   her Rock 'N' Roll.

C   **Dm⁷**   **Am⁷** **Dm⁷**
  I would name her Rock 'N' Roll.

C   **Dm⁷**   **Am⁷** **Dm⁷**
  I would name her Rock 'N' Roll,   yeah.

C   **Dm⁷**   **Am⁷** **Dm⁷** **C** **Dm⁷** **Am⁷**
  I would name it Rock 'N' Roll.

Sex On Fire

Words & Music by Caleb Followill, Nathan Followill, Jared Followill & Matthew Followill

E   C#m   A
fr7   fr4   fr5

Intro   ‖: E | E | E | E |

          | C#m | C#m | C#m | C#m :‖

          (C#m)   E

Verse 1 Lay where you're laying, don't make a sound,

                    C#m

          I know they're watching, they're watching.

                  E

          All the com - motion, the kiddie-like play,

               C#m

          Has people talking, talking.

          E   C#m A

Chorus 1 You, your sex is on fire.

          (A)   E

Verse 2 The dark of the alley, the breaking of day,

                   C#m

          The head while I'm driving, I'm driving.

                E

          Soft lips are open, the knuckles are pale,

                C#m   A

          Feels like you're dying, you're dying.

          E   C#m A

Chorus 2 You, your sex is on fire,

                E   C#m A

          Con - sumed with what's to trans - pire.

Verse 3

   (A)   **E**
Hot as a fever, rattling bones,

       C♯m
I can just taste it, taste it.

            E
If it's not for - ever, if it's just tonight,

          C♯m   **A**
Oh, it's still the greatest, the greatest, the greatest.

Chorus 3

E   **C♯m** **A**
You, your sex is on fire.

      E   **C♯m**
And you, your sex is on fire,

      E   **C♯m** **A**
Con - sumed with what's to trans - pire.

Chorus 4

E   **C♯m** **A**
And you, your sex is on fire,

      E   **C♯m** **A** **E**
Con - sumed with what's to trans - pire.

Smile

Words & Music by Lily Allen, Iyiola Babalola, Darren Lewis & Jackie Mittoo

Gm fr3

Fmaj⁷ fr3

Intro ‖: Gm | Fmaj⁷ | Gm | Fmaj⁷ :‖

Verse 1
Gm   Fmaj⁷
When you first left me I was wanting more
                                                                    Fmaj⁷
But you were doing that girl next door, what ja do that for
Gm   Fmaj⁷
When you first left me I didn't know what to say
                              Gm   Fmaj⁷
I never been on my own that way, just sat by my - self all day.

Pre-chorus 1
Gm
   I was so lost back then
Fmaj⁷
   But with a little help from my friends
Gm   Fmaj⁷
I found a light in the tunnel at the end____
Gm
   Now you're calling me up on the phone
Fmaj⁷
   So you can have a little whine and a moan
Gm   Fmaj⁷
And it's only because you're feeling a - lone.

Chorus 1
Gm   Fmaj⁷
   At first when I see you cry____
Gm   Fmaj⁷
Yeah it makes me smile,____ yeah it makes my smile____
Gm   Fmaj⁷
   At worst I feel bad for a while____
                     Gm   Fmaj⁷
But then I just smile____ I go ahead and smile.____

Verse 2

          Gm   Fmaj⁷

When - ever you see me you say that you want me back

          Gm   Fmaj⁷

And I tell you it don't mean jack, no it don't mean jack

Gm   Fmaj⁷

I couldn't stop laughing, no I just couldn't help myself

                Gm   Fmaj⁷

See you messed up my mental health, I was quite un - well.

Pre-chorus 2   As Pre-chorus 1

Chorus 2   As Chorus 1

Link

        Gm   Fmaj⁷

La la, la la la, la la la, la la la, la la la, la la la, la la la, la la la, la la la,

Gm   Fmaj⁷

La la la, la la la, la la la, la la la, la.____

Chorus 3   As Chorus 1

Chorus 4

Gm   Fmaj⁷

   At first when I see you cry___

                Gm   Fmaj⁷

Yeah it makes me smile,___ yeah it makes my smile___

Gm   Fmaj⁷

At worst I feel bad for a while___

              Gm   Fmaj⁷ N.C.

But then I just smile___ I go ahead and smile.

Somewhere Only We Know

Words & Music by Tim Rice-Oxley, Tom Chaplin & Richard Hughes

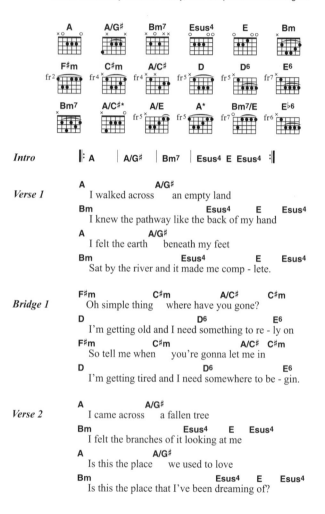

Intro ‖: A | A/G♯ | Bm7 | Esus4 E Esus4 :‖

Verse 1

A   A/G♯
I walked across   an empty land

Bm   Esus4   E   Esus4
I knew the pathway like the back of my hand

A   A/G♯
I felt the earth   beneath my feet

Bm   Esus4   E   Esus4
Sat by the river and it made me comp - lete.

Bridge 1

F♯m   C♯m   A/C♯   C♯m
Oh simple thing   where have you gone?

D   D6   E6
I'm getting old and I need something to re - ly on

F♯m   C♯m   A/C♯ C♯m
So tell me when   you're gonna let me in

D   D6   E6
I'm getting tired and I need somewhere to be - gin.

Verse 2

A   A/G♯
I came across   a fallen tree

Bm   Esus4   E   Esus4
I felt the branches of it looking at me

A   A/G♯
Is this the place   we used to love

Bm   Esus4   E   Esus4
Is this the place that I've been dreaming of?

Bridge 2   As Bridge 1

Chorus 1

Bm7   **A/C♯***   **A/E**
And if you have a minute why don't we go
Bm7   **A/C♯***   **A/E**
Talk about it somewhere only we know
Bm7   **A/C♯***   **A/E**
This could be the end of every - thing
D6
So why don't we go
E6   **A***
Somewhere only we know.

Link 1

D6 **E6**   **D6**   **E6** **Bm7/E** **E6**
Somewhere only we know.___

Bridge 3   As Bridge 1

Chorus 2

Bm7   **A/C♯***   **A/E**
And if you have a minute why don't we go
Bm7   **A/C♯***   **A/E**
Talk about it somewhere only we know
Bm7   **A/C♯***   **A/E**
This could be the end of every - thing
D6
So why don't we go
D6   **E6**
So why don't we   go.

Outro

| **Bm7** | **A/C♯* A/E** | **Bm7** | **A/C♯* A/E** ‖
Bm7   **A/C♯***   **A/E**
This could be the end of every - thing
D6
So why don't we go
E6   **A***
Somewhere only we know
D6   **E6**   **E♭6** **D6**
Somewhere only we kno - w
E6   **D6** **D**   **A***
Somewhere only we know.__

Standing In The
Way Of Control

Words & Music by Beth Ditto, Nathan Howdeshell & Hannah Blilie

Am	E	F	G	C5	Am*	G/A	Dadd11

Intro | Am | Am | Am | E   F   G ‖

N.C. ‖: (A) | (A) | (G/A) | (G) (F) (C5) :‖

Verse 1
            Am*
Your back's against the wall, there's no one home to call,
          G/A   **F** **C5**
You're for - getting who you are, you can't stop cry - ing.
            Am*
It's part not giving in and part trusting your friends,
       G/A   **F** **C5** **Am***
You do it all again and I'm not ly - ing.

Interlude 1
            Am*   **G/A**
Oh, oh, oh.___
            Am*   **G/A**   **F   C5**
Oh,___ oh, oh, oh.___

Chorus 1
            Am
Standing in the way of control,
                                       E   **F   G**
You live your life survive the only way that you know, know.

Link 1   ‖: Am | Am | G | G   F   C :‖

Verse 2
            Am*
I'm doing this for you, because it's easier to lose,
       G/A   **F** **C5**
And it's hard to face the truth when you think you're dy - ing.
            Am*
It's part not giving in and part trusting your friends,
       G/A   **F** **C5** **Am***
You'll do it all again but you don't stop try - ing.

Interlude 2
            G/A   **F   C5**
Oh, oh, oh.___
            Am*   **GA**   **F   C5**
Oh,___ oh, oh, oh.___

Link 2 ‖: **Am** | **Am** | **G/A** | **C5 Dadd11** :‖

Interlude 2
Am   **G/A**   **C5 Dadd11**
Oh,___ oh, oh, oh.___
Am   **G/A**   **C5 Dadd11**
Oh,___ oh, oh, oh.___

Bridge 1
Am
Standing in the way of control,
        G/A   **C5**
We live our lives,
        Dadd11 Am
Be - cause of standing in the way of control.
          G/A   **C5**
We will live our lives,
        Dadd11 Am
Be - cause of standing in the way of control.
          G/A   **C5**
We'll live our lives,
        Dadd11 Am
Be - cause of standing in the way of control.
        G/A   **C5**   **Dadd11 Am**
We will live our lives, lives, lives, ooh.
      E   F   G
Oh, hey, yeah.

Link 3 ‖: **Am** | **Am** | **G/A** | **G   F   C5** :‖

Verse 3
Am*
Your back's against the wall, there's no one home to call,
          G/A   **F   C5**
You're for - getting who you are, you can't stop cry - ing.
        Am*
It's part not giving in, and part trusting your friends,
        G/A   **F   C5   Am***
You'll do it all again, you don't stop try - ing.

Interlude 3
          G/A   **F C5**
Oh, oh, oh.___
Am*   **G/A**   **F C5**
Oh,___ oh, oh, oh.___

Chorus 3
Am
Standing in the way of control,
                                  E   F   G   Am
You live your life survive the only way that you know, know.

Sweet Disposition

Words & Music by Lorenzo Sillitto & Abby Mandagi

D   Bm   G   Em7

Intro

| D | D | D | D ‖

Verse 1

D   Bm   D   Bm
Sweet dispo - sition,

D   Bm   D   Bm
Nev - er too soon.

D   Bm G   D   Bm G
Oh, reck - less____ a - bandon,

    D   Bm   G D   Bm G
Like no one's watch - ing you.

Pre-chorus 1

    D
A moment, a love, a dream, a laugh,

    Bm   G
A kiss, a cry, our rights, our wrongs.

    D
A moment, a love, a dream, a laugh,

A moment, a love, a dream, a laugh.

Chorus 1

D   Bm G
Just stay there,_____

    Em7   D   Bm G
'Cause I'll be coming over.

Em7   D
While our bloods still young,

    Bm   G
It's so young, it runs,

    Em7   D Bm G
Won't stop till it's over,_____

    Em7   D
Won't stop to sur - render.

Verse 2

D   Bm G   D   Bm G
Songs of   despe - ration,

D Bm   G   D   Bm G
I   played them for you.

Pre-chorus 2

     D
A moment, a love, a dream, a laugh,

A kiss, a cry, our rights, our wrongs.

A moment, a love, a dream, a laugh,

A moment, a love, a dream, a laugh.

Chorus 2

D   Bm G
Just stay there,_____

      Em7   D   Bm G
'Cause I'll be coming over._____

Em7   D
While our bloods still young,

   Bm   G
It's so young, it runs,

Em7   D Bm G
Won't stop till it's over,_____

  Em7   D   Bm G
Won't stop to sur - render._____

Em7   D Bm G
Won't stop till it's over._____

Em7   D   Bm G
Won't stop till it's over._____

Em7   D Bm G
Won't stop till it's over._____

           D
Won't stop to sur - render.

Suddenly I See

Words & Music by KT Tunstall

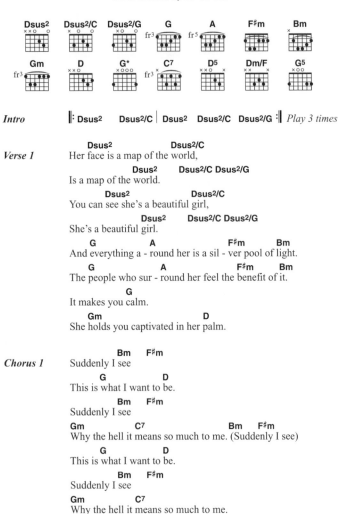

Intro ‖: Dsus²   Dsus²/C | Dsus²   Dsus²/C   Dsus²/G :‖ *Play 3 times*

Verse 1

       Dsus²   Dsus²/C
Her face is a map of the world,

            Dsus²   Dsus²/C Dsus²/G
Is a map of the world.

          Dsus²   Dsus²/C
You can see she's a beautiful girl,

              Dsus²   Dsus²/C Dsus²/G
She's a beautiful girl.

       G   A   F♯m   Bm
And everything a - round her is a sil - ver pool of light.

       G   A   F♯m   Bm
The people who sur - round her feel the benefit of it.

            G
It makes you calm.

      Gm   D
She holds you captivated in her palm.

Chorus 1

              Bm   F♯m
Suddenly I see

         G   D
This is what I want to be.

              Bm   F♯m
Suddenly I see

Gm   C⁷   Bm   F♯m
Why the hell it means so much to me. (Suddenly I see)

         G   D
This is what I want to be.

              Bm   F♯m
Suddenly I see

Gm   C⁷
Why the hell it means so much to me.

Instrumental ‖: Dsus²   Dsus²/C │ Dsus²   Dsus²/C   Dsus²/G :‖

Verse 2
       Dsus²   **Dsus²/C**
I feel like walking the world,
            Dsus²   **Dsus²/C Dsus²/G**
Like walking the   world.
        Dsus²   **Dsus²/C**
You can hear she's a beautiful girl,
         Dsus²   **Dsus²/C Dsus²/G**
She's a beautiful girl.
   G   **A**   **F♯m**   **Bm**
She fills up every corner like she's born in black and white.
G   **A**   **F♯m**   **Bm**
Makes you feel warmer when you're trying to re - member
         G
What you heard.
   Gm   **D**
She likes to leave you hanging on a word.

Chorus 2
       Bm   **F♯m**
Suddenly I see
      G   **D**
This is what I want to be.
       Bm   **F♯m**
Suddenly I see
Gm   **C⁷**   **Bm**   **F♯m**
Why the hell it means so much to me. (Suddenly I see)
      G   **D**
This is what I want to be.
       Bm   **F♯m**
Suddenly I see
Gm   **C⁷**   **D⁵**
Why the hell it means so much to me.

Bridge
       Dm/F   **D⁵**
And she's taller than most
       Dm/F   **D⁵/G**
And she's looking at me.
D⁵   **Dm/F**   **D⁵**   **Dm/F**   **D⁵/G**
I can see her eyes looking from a page in a maga - zine.
D⁵   **Dm/F**   **D⁵**
Oh she makes me feel like I could be a tower.
   Dm/F   **G⁵**
A big strong tower, yeah.
D⁵
The power to be,

cont.

Dm/F
The power to give,

D5
The power to see, yeah yeah.

Dm/F   D5/G   Dsus2
║: (Sudden - ly I see.) She got the power to be,

Dsus2/C   Dsus2
The power to give, the power to see, yeah yeah.

Dsus2/C Dsus2/G Dsus2
(Suddenly I see.)   She got the power to be,

Dsus2/C   Dsus2
The power to give, the power to see, yeah yeah. :║

Chorus 3

D5   Dm/F   Bm   F♯m
Sudden - ly I⎯ see

G   D
This is what I want to be,

Bm   F♯m
Suddenly I see

Gm   C7   Bm   F♯m
Why the hell it means so much to me. (Suddenly I see)

G   D
This is what I want to be.

Bm   F♯m
Suddenly I see (Suddenly I see)

Gm   C7   D5
Why the hell it means so much to me.

Bm   F♯m   G   D
Oh yeah
(Suddenly I see)

Bm   F♯m
Suddenly I see

Gm   C7
Why the hell it means so much to me.

Bm   F♯m   G
Yeah, yeah
(Suddenly I see)

D   Bm   F♯m
Suddenly I see

Gm   C7   D
Why the hell it means so much to me.

Take Me Out

Words & Music by Alexander Kapranos & Nicholas McCarthy

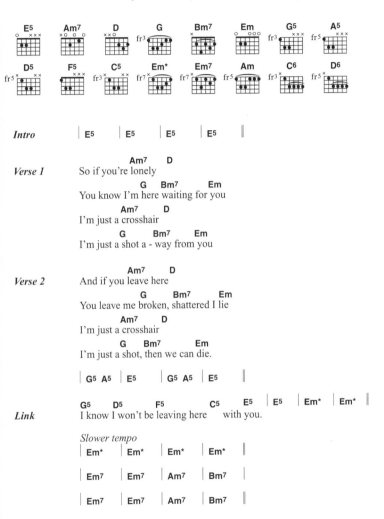

Intro | E5 | E5 | E5 | E5   ‖

Verse 1
                Am7   D
So if you're lonely
              G   Bm7   Em
You know I'm here waiting for you
          Am7   D
I'm just a crosshair
         G   Bm7   Em
I'm just a shot a - way from you

Verse 2
               Am7   D
And if you leave here
           G   Bm7   Em
You leave me broken, shattered I lie
        Am7   D
I'm just a crosshair
        G   Bm7   Em
I'm just a shot, then we can die.

| G5 A5 | E5 | G5 A5 | E5   ‖

Link
G5   D5   F5   C5   E5 | E5 | Em* | Em* ‖
I know I won't be leaving here   with you.

Slower tempo
| Em* | Em* | Em* | Em*   ‖

| Em7 | Em7 | Am7 | Bm7 |

| Em7 | Em7 | Am7 | Bm7   ‖

Chorus 1

Em⁷
  I say don't you know

You say you don't know
Am⁷
  I say,
Bm⁷
  Take me out!

Chorus 2

Em⁷
  I say you don't show

Don't move, time is slow
Am⁷
  I say,
Bm⁷
Take me out!

| Em⁷ | Em⁷ | Am⁷ | Bm⁷ ‖

Chorus 3

Em⁷
  I say you don't know

You say you don't know
Am⁷
  I say,
Bm⁷
  Take me out!

Chorus 4

Em⁷
  If I move this could die

If eyes move, this could die
Am⁷
  I want you
Bm⁷
  To take me out!

| E⁵ | E⁵ ‖

Bridge 1

Am   C6   D6
I know I won't be leaving here   (with you)

      Am   C6   D6
Oh, I know I won't be leaving here

Am   C6   D6
I know I won't be leaving here   (with you)

Am   C6   D6   Em7 | Em7 | Am7 | Bm7 ‖
I know I won't be leaving here with you.

Chorus 5

Em7
  I say don't you know

You say you don't know

Am7
  I say,

Bm7
  Take me out!

Chorus 6

Em7
  If I wane, this could die

If I wait, this could die

Am7
  I want you

Bm7
  To take me out!

Chorus 7

Em7
  If I move this could die

If eyes move, this can die

Am7
C'mon,

Bm7 N.C.
    Take me out!

| Em* | Em* | Am7 | Bm7 | E5 | E5   ‖

Bridge 2

Am   C6   D6
I know I won't be leaving here   (with you)

      Am   C6   D6
Oh, I know I won't be leaving here

Am   C6   D6
I know I won't be leaving here   (with you)

Am   C6   D6   Em* | Em* | Em* | Em* ‖
I know I won't be leaving here with you.

165

This Love

Words & Music by Adam Levine, James Valentine,
Jesse Carmichael, Mickey Madden & Ryan Dusick

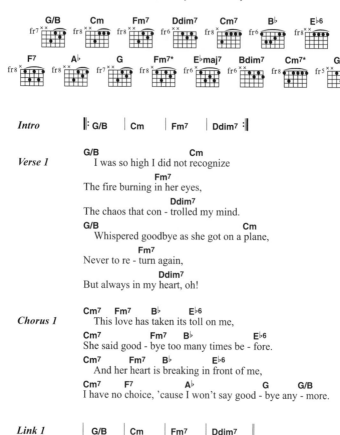

Intro ‖: G/B | Cm | Fm7 | Ddim7 :‖

Verse 1

G/B   Cm
    I was so high I did not recognize

                      Fm7
The fire burning in her eyes,

                              Ddim7
The chaos that con - trolled my mind.

G/B   Cm
    Whispered goodbye as she got on a plane,

              Fm7
Never to re - turn again,

                        Ddim7
But always in my heart, oh!

Chorus 1

Cm7   Fm7   B♭   E♭6
    This love has taken its toll on me,

Cm7   Fm7   B♭   E♭6
She said good - bye too many times be - fore.

Cm7   Fm7   B♭   E♭6
    And her heart is breaking in front of me,

Cm7   F7   A♭   G   G/B
I have no choice, 'cause I won't say good - bye any - more.

Link 1 | G/B | Cm | Fm7 | Ddim7 ‖

Verse 2

G/B N.C.   **Cm**
   I tried my best to feed her appetite,

Fm7
To keep her coming every night,

Ddim7
So hard to keep her satisfied.

  G/B   **Cm**
Oh,   kept playing love like it was just a game,

      Fm7
Pretending to feel the same,

        Ddim7
Then turn around and leave again.

Chorus 2   As Chorus 1

Link 2 | G/B | Cm | Fm7 | Ddim7   ‖

        Fm7*
Bridge   I'll fix these broken things,

E♭maj7
  Repair your broken wings,

Bdim7   **Cm7***
  And make sure everything's al - right.

    Fm7*
Oh,   my pressure on your hips,

E♭maj7
      Sinking my fingertips,

   G7
Into every inch of you,

       Bdim7
'Cause I know that's what you want me to do.

Cm7   Fm7   B♭   E♭6
   This love has taken its toll on me,
Cm7   Fm7   B♭   E♭6
She said good - bye too many times be - fore.
Cm7   Fm7   B♭   E♭6
   Her heart is breaking in front of me,
      Cm7   F7   A♭   G/B
And I have no choice, 'cause I won't say good - bye any - more.

Cm7   Fm7   B♭   E♭6
   This love has taken its toll on me,
Cm7   Fm7   B♭   E♭6
She said good - bye too many times be - fore.
Cm7   Fm7   B♭   E♭6
   My heart is breaking in front of me,
      Cm7   F7   A♭   G/B
She said good - bye too many times be - fore.

Cm7   Fm7   B♭   E♭6
   This love has taken its toll on me,
Cm7   Fm7   B♭   E♭6
She said good - bye too many times be - fore.
Cm7   Fm7   B♭   E♭6
   Her heart is breaking in front of me,
      Cm7   F7   A♭   G/B
But I have no choice, 'cause I won't say good - bye any - more.

Fade out

Time To Pretend

Words & Music by Andrew Vanwyngarden & Benjamin Goldwasser

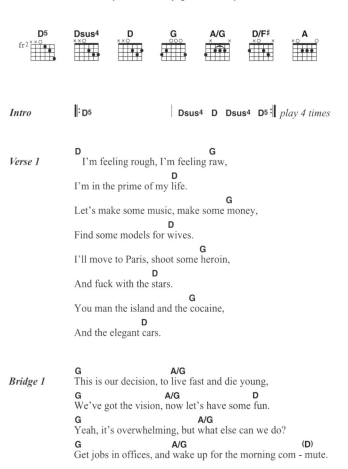

Intro ‖: D5 | Dsus4 D Dsus4 D5 :‖ *play 4 times*

Verse 1
    D   **G**
I'm feeling rough, I'm feeling raw,
             D
I'm in the prime of my life.

                       G
Let's make some music, make some money,
         D
Find some models for wives.

I'll move to Paris, shoot some heroin, **G**
        D
And fuck with the stars.

                    G
You man the island and the cocaine,
         D
And the elegant cars.

Bridge 1
G   **A/G**
This is our decision, to live fast and die young,
G   **A/G**   **D**
We've got the vision, now let's have some fun.
G   **A/G**
Yeah, it's overwhelming, but what else can we do?
G   **A/G**   **(D)**
Get jobs in offices, and wake up for the morning com - mute.

Link 1
```
| D          | D          |
(- mute)
| D          | D          |
```


Chorus 1

A   D/F#
Forget about our mothers and our friends,
          G   A   D
We're fated to pre - tend.
G   D
  To pre - tend,
          G   D
We're fated to pre - tend,
G   D   G
  To pre - tend.

Verse 2

D   G
  I'll miss the playgrounds and the animals,
                    D
And digging up worms.

                        G
I'll miss the comfort of my mother,
                  D
And the weight of the world.

                    G
I'll miss my sister, miss my father,
                D
Miss my dog and my home.

                            G
Yeah, I'll miss the boredom and the freedom,
                  D
And the time spent a - lone.

170

Bridge 2

     G   **A/G**
There is really nothing, nothing we can do,

     G   **A/G**   **(D)**
Love must be forgotten, life can always start up a - new.

Link 2

| **D** | **D** | |
(- new)
| **D** | **D** | |

Bridge 3

       G   **A/G**
The models will have children, we'll get a divorce,

       G   **A/G**   **(D)**
We'll find some more models, everything must run its course.

Link 3

| **D** | **D** | |
(course)
| **D** | **D** | |

Chorus 2

       A   **D/F♯**
We'll choke on our vomit and that will be the end,

          G   **A**   **D**
We were fated to pre - tend,

G   **D**
  To pre - tend,

        G   **D**
We're fated to pre - tend,

G   **D**
  To pre - tend.

Outro

   G   **D**
  I said, yeah, yeah, yeah,

 G   **D**
‖: Yeah, yeah, yeah. :‖ *play 3 times*

| **G** | ‖

Toxic

Words & Music by Cathy Dennis, Christian Karlsson,
Pontus Winnberg & Henrik Jonback

Cm	Eb7	G7	D7	Db7	Ab7
fr3	fr6	fr3	fr5	fr4	fr4

Intro   ‖: Cm | Cm | Cm | Cm :‖

Verse 1

Cm
Baby, can't you see I'm calling,

                                  Eb7
A guy like you should wear a warn - ing,

                G7   **Cm**
It's danger - ous, I'm fall - ing.

There's no escape, I can't wait,

                      Eb7
I need a hit, baby, give me it,

                G7   **Cm**
You're danger - ous, I'm loving it,

Pre-chorus 1

Cm
Too high, can't come down,

                                          Eb7 **G7**
Losing my head spinning 'round and 'round.

                      Cm
Do you feel me now?

Chorus 1

     Cm   E♭7
With a taste of your lips I'm on a ride,
D7   D♭7
   You're toxic, I'm slipping under.
        Cm   E♭7
With a taste of a poison paradise,
    A♭7
I'm addicted to you,
       G7   D♭7   Cm
Don't you know that you're toxic?
E♭7   D7
   And I love what you do,
        D♭7   Cm E♭7 A♭7 G7 D♭7 Cm
Don't you know that you're toxic?

Verse 2

Cm
It's getting late to give you up,
                  E♭7
I took a sip from the devil's cup,
    G7   Cm
Slowly   it's taking over me.

Pre-chorus 2

Cm
Too high, can't come down,
                      E♭7 G7
It's in the air and it's all around,
               Cm
Can you feel me now?

Chorus 2

Cm   E♭7
With a taste of your lips I'm on a ride,
D7   D♭7
   You're toxic, I'm slipping under.
        Cm   E♭7
With a taste of a poison paradise,
    A♭7
I'm addicted to you,
       G7   D♭7   Cm
Don't you know that you're toxic?
E♭7   D7
   And I love what you do,
        D♭7   Cm E♭7 A♭7
Don't you know that you're toxic?
       G7
Don't you know that you're toxic?

| Cm | E♭7 | D7 | D♭7 |

  | Cm | A♭7 | G7 | Cm | Cm   ‖

Chorus 3

Cm   E♭7   D7
Taste of your lips I'm on a ride,
            D♭7
You're toxic, I'm slipping under.
         Cm   E♭7
With a taste of a poison paradise,
         A♭7
I'm addicted to you,
            G7   D♭7   Cm
Don't you know that you're toxic?
                        E♭7
With a taste of your lips I'm on a ride,
D♭7   D♭7
    You're toxic, I'm slipping under.
         Cm   E♭7
With a taste of a poison paradise,
         A♭7
I'm addicted to you,
            G7   D♭7   Cm
Don't you know that you're toxic?

Outro

Cm   E♭7   D7
Intoxicate me now   with your loving now,
                        D♭7
I think I'm ready now,   I think I'm ready now.
Cm   E♭7   A♭7
  Intoxicate me now   with your loving now,
                        N.C. (Cm)
I think I'm ready now.

Trouble

Words & Music by Ray LaMontagne

G   C   D   F   Am7   D7   Bm   Am

Intro ‖: G | C | G | D :‖ *Play 4 times*

Verse 1

    G   D
    Trouble,—

    G   C
    Trouble, trouble, trouble, trouble,

    G   D   C   G D
    Trouble been doggin' my soul since the day I was born.

    G   D
    Worry,—

    G   C
    Worry, worry, worry, worry,

    G   D   C   G D
    Worry just will not seem to leave my mind alone.

Chorus 1

    N.C.
    Well, I've been...

    G   C   F C
    Saved by a woman,

    I've been...

    G   C   F C
    Saved by a woman,

    I've been...

    G   C   F C
    Saved by a woman.

Bridge 1

Am7
She won't let me go,

D7
She won't let me go now,

Am7
She won't let me go,

D7
She won't let me go now.

Link 1   ‖: G | C | G | D   :‖

Verse 2

G   D
  Trouble,—

   G   C
Oh, trouble, trouble, trouble, trouble,

G   D
  Feels like every time I get back on my feet

     C   **G   D**
She come a - round and knock me down a - gain.

G   C
  Worry,—

   G   C
Oh, worry, worry, worry, worry,

G   D   **C**   **G**
  Sometimes I swear it feels like this worry   is my only friend.

Chorus 2

N.C.
Well, I've been...

G   C   **F C**
  Saved by a woman,

I've been...

G   C   **F C**
  Saved by a woman,

I've been...

G   C   **F C**
  Saved by a woman.

Bridge 2

             Am7
She won't let me go,

             D7
She won't let me go now,

             Am7
She won't let me go,

             D7
She won't let me go now.

Link 2

C   **Bm** **Am**   **G**
  Oh,— ah,—

C   **Bm** **Am**
  Oh,——

Outro

     G **C** **G**   **C**
She good to me now,

         G **C**   **G**   **C**
She give me love and af - fection.

         G **C** **G**   **C**
Say, she good to me now,

         G **C**   **G**   **C**
She give me love and af - fection.

        G   **C**
I said, I love her,

      G   **C**
Yes, I love her.

        G   **C**
I said, I love her,

      G   **C**
I said, I love...—

     G **C** **G**   **C**
She good to me now,

     G   **C**
She good to me,

     G   **C**
She good to me...

G	**C**	**G**	**C**	
G	**C**	**G**	**C**	
G	**C**	**G**	**C**	**G**	**G͡**	

Umbrella

Words & Music by Terius Nash, Christopher Stewart, Thaddis Harrell & Shawn Carter

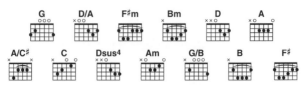

G   D/A   F♯m   Bm   D   A

A/C♯   C   Dsus⁴   Am   G/B   B   F♯

Tune guitar down a semitone

Intro
(Jay-Z)

N.C.
(Uh-huh, uh-huh.) Yeah, Rihanna,

(Uh-huh, uh-huh.) Good girl gone bad,

(Uh-huh, uh-huh.) Take three, action,

(Uh-huh, uh-huh.) Ho.

Rap

N.C.
No clouds in my storms,

Let it rain, I hydroplane in the bank,

Coming down with the Dow Jones.

When the clouds come we gone, we Rockefeller,

We fly higher than weather,

And G5's are better,

You know me,

In anticipation for precipitation,

Stacked chips for the rainy day.

Jay, Rain Man is back with little Miss Sunshine,

Rihanna where you at?

Verse 1
(Rihanna)

     G   **D/A**
You have my heart and we'll never be worlds apart,
     F♯m   **Bm**
Maybe in magazines, but you'll still be my star.
    G   **D/A**
Baby 'cause in the dark you can't see shiny cars,
       F♯m
And that's when you need me there,
    Bm
With you I'll always share. Because...

Chorus 1

G   **D**
 When there's sunshine, we'll shine to - gether,
        A
Told you I'll be here for - ever,
    Bm
Said I'll always be a friend,
          G
Took an oath I'm-a stick it out till the end.
       D
Now that it's raining more than ever,
     A
Know that we'll still have each other,
     Bm
You can stand under my um - brella.
     G
You can stand under my um - brella,
    D/A
'Ella, 'ella, eh, eh, eh.
    F♯m
Under my um - brella,
   Bm
'Ella, 'ella, eh, eh, eh.
    G
Under my um - brella,
    D/A
'Ella, 'ella, eh, eh, eh.
    F♯m
Under my um - brella,
    Bm
'Ella, 'ella, eh, eh, eh, eh, eh, eh.

Verse 2

    G   **D/A**
These fancy things, will never come   in between,

           F♯m   **Bm**
You're part of my entity, here for in - finity.

               G
When the war has took its part,

              D/A
When the world has dealt its cards,

   F♯m   **Bm**   **A/C♯**   **D** **F♯m**
If the hand is hard, together we'll mend your   heart.   Because

Chorus 2   As Chorus 1

Bridge

   C
  You can run into my arms,

   G
  It's okay don't be alarmed,

   Dsus4
Come into me,

                   Am   **G/B** **C**
There's no distance in be - tween our love.

                  G
So go on and let the rain pour,

             F♯
I'll be all you need and more. Because...

Chorus 3

   G   **D/A**
  When there's sunshine, we'll shine to - gether,

               F♯m
Told you I'll be here for - ever,

           Bm
Said I'll always be a friend,

                   G
Took an oath I'm-a stick it out till the end.

              D/A
Now that it's raining more than ever,

                F♯m
Know that we'll still have each other,

               Bm
You can stand under my um - brella.

               G
You can stand under my um - brella,

         D
'Ella, 'ella, eh, eh, eh.

              A
Under my um - brella,

              Bm
'Ella, 'ella, eh, eh, eh.

              G
Under my um - brella,

              D
'Ella, 'ella, eh, eh, eh.

              A
Under my um - brella,

              B
'Ella, 'ella, eh, eh, eh, eh, eh, eh.

Outro

     G
It's raining, raining,

       D/A
Ooh, baby it's raining, raining.

        A/C♯   **Bm**
Baby come into me, come into me,

     G
It's raining, raining,

       D/A
Ooh, baby it's raining, raining.

             A/C♯   **Bm**
You can always come into me, come into me.

     G   **D**
It's pouring rain, it's pouring rain,

     D/A   **Bm**
Come into me, come into me.

     G   **D**
It's pouring rain, it's pouring rain,

     A   **Bm**
Come into me, come into me.   *Fade out*

Viva La Vida

Words & Music by Guy Berryman, Jon Buckland, Will Champion & Chris Martin

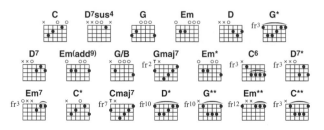

Capo first fret

Intro	C	D⁷sus⁴ G	Em	
	C	D⁷sus⁴ G	Em	

Verse 1

    (Em)   C   D⁷sus⁴
I used to rule the world,

            G   Em
Seas would rise when I gave the word.

                 C   D⁷sus⁴
Now in the morning I sleep a - lone,

          G   Em
Sweep the streets I used to own.

Interlude 1	C	D	G*	Em
	C	D	G*	Em

Verse 2

    (Em)   **C**   **D7sus4**
I used to roll the dice,

         G   **Em**
Feel the fear in my enemy's eyes.

            C   **D7sus4**
Listened as the crowd would sing:

         G   **Em**
"Now the old king is dead, long live the king."

       C   **D7sus4**
One minute I held the key,

     G   **Em**
Next the walls were closed on   me.

                  C   **D7sus4**
And I discovered that my castles stand,

    G   **Em**
Upon pillars of salt and pil - lars of sand.

Chorus 1

C   **D7**
I hear Jerusalem bells a-ringing,

G   **Em(add9)**
Roman cavalry choirs are singing.

C   **D7**
Be my mirror my sword and shield,

   G   **Em(add9)**
My missionaries in a foreign field.

C   **D7**
For some reason I can't explain,

G/B   **Em(add9)**
Once you'd gone there was never,

      C **D7**
Never an ho - nest word,

       Gmaj7   **Em***
And that was when I ruled the world.

Interlude 2 | **C6** | **D7*** | **G*** | **Em7** |

              | **C6** | **D7*** | **G*** | **Em7**   ‖

Verse 3

    (Em7)   C   D7sus4
It was the wicked and wild wind,

               G   Em
Blew down the doors to let me in.

                    C   D7sus4
Shattered windows and the sound of drums,

        G   Em
People couldn't believe what I'd become.

           C   D7sus4
Revolution - aries wait,

        G   Em
For my head on a silver plate.

            C   D7sus4
Just a puppet on a lonely string,

        G   Em
Oh, who would ever want to be king?

Chorus 2

    C   D7
I hear Jerusalem bells a-ringing,

G   Em(add9)
Roman cavalry choirs are singing.

C   D7
Be my mirror my sword and shield,

    G   Em(add9)
My missionaries in a foreign field.

C   D7
For some reason I can't explain,

    G/B   Em(add9)
I know St. Peter won't call my name.

       C   D7
Never an honest word,

          Gmaj7   Em
But that was when I ruled the world.

Interlude 3 | C* | Em* | C* | Em* |

| C* | Em* | D7* ‖

(D7*)   **C** **D**
Oh, oh, oh, oh, oh,   oh.

                  G **Em(add9)**
Oh, oh, oh, oh, oh,   oh.

                  C **D7**
Oh, oh, oh, oh, oh,   oh.

                  G **Em(add9)**
Oh, oh, oh, oh, oh,   oh.

Oh, oh, oh, oh, oh.

C   **D7**
Chorus 3   Hear Jerusalem bells a-ringing,

G   **Em(add9)**
Roman cavalry choirs are singing.

C   **D7**
Be my mirror my sword and shield,

  G   **Em(add9)**
My missionaries in a foreign field.

C   **D7**
For some reason I can't explain,

  G/B   **Em(add9)**
I know St. Peter won't call my name.

          Cmaj7 **D***
Never an honest word,

               G*   **Em***
But that was when I ruled the world.

Outro | C** | D | Gmaj7 | Em7 |

| C** | D | Gmaj7 | Em7 ‖ *Repeat to fade*

White Winter Hymnal

Words & Music by Robin Pecknold

E   F#m   A   B7

Intro

N.C.(E)
I was following the, I was following the,

I was following the, I was following the,

I was following the, I was following the,

I was following the, I was following the,

Verse 1

E
I was following the pack, all swallowed in their coats,

                       F#m
With scarves of red tied 'round their throats,

To keep their little heads from falling in the snow.

                   A
And I turned 'round and there you go,

                    B7
And, Michael, you would fall and turn the white snow red,

        (E)
As strawberries in the summertime.

Link 1

| E | E | E | E | |
| A | A | E | E | |

Verse 2   As Verse 1

Instr.

‖: E | E | E | E |

| A | A | E | E :‖

| B7 | B7 | B7 | B7 |

| A | A ‖

Verse 3

N.C.(E)
I was following the pack, all swallowed in their coats,

(F#m)
With scarves of red tied 'round their throats,

To keep their little heads from falling in the snow.

(A)
And I turned 'round and there you go,

(B7)
And, Michael, you would fall and turn the white snow red,

(E)
As strawberries in the summertime.

Your Love Alone
Is Not Enough

Words & Music by James Dean Bradfield, Nicky Wire & Sean Moore

D   A   Em   G

Verse 1

D   A   Em   D   A   Em
Your love a - lone is not e - nough, not e - nough, not e - nough.

D   A   Em   D
When times get tough, oh, they get tough,

         A   Em
They get tough, they get tough.

G   D   A   Em
Trade all your heroes in for ghosts, in for ghosts, in for ghosts.

G   D
They're always the ones who love you most,

        A   Em   D A Em
Love you most, love you most.

Verse 2

D   A   Em   D   A   Em
Your love a - lone is not e - nough, not e - nough, not e - nough.

D   A   Em   D   A   Em
It's what you felt, it's what you said, what you said, what you sai

G   D   A   Em
You said the sky would fall on you, fall on you, fall on you.

G   D
Through all the pain your eyes stayed blue,

        A   Em   D A Em
They stayed blue, baby blue.

Link | **N.C.** ||

Bridge 1

A   Em   G
But your love alone won't save the world,

              D   A
You knew the secret of the uni - verse.

                Em   G
Despite it all you made it worse,

It left you lonely it left you cursed.

Verse 3

D　　A　　Em　　　　　　　D
　You stole the sun straight from my heart,

　　　　　A　　　　Em
From my heart, from my heart.

D　　A　　Em　　　　　D　　　　A　　　　Em
　With no ex - cuses, just fell a - part, fell a - part, fell a - part.

G　　　　　　　　　　　　D　　　　A　　　　Em
　No you won't make a mess of me, mess of me, mess of me.

G　　　　　　　　　　　　　D
　For you're as blind as a man can be,

　　　A　　　　Em　　D A Em
Man can be, man can be.

| N.C. ‖

Bridge 2

A　　　　　　　　　　　　　　Em　　G
　I could have seen for miles and miles,

　　　　　　　　　　　　　　D　　A
I could have made you feel a - live.

　　　　　　　　　　Em
I could have placed us in e - xile,

　　　　　　　　　　G
I could have written all your lines.

I could have shown you,

　　　　　　　　　　　　D　A　Em
I could have shown you how to cry.

Interlude

(Em)　　　　　　D A Em　　　　　　　D A Em
Your love alone　　　　　　is not enough,

　　　　　　　　　D A Em　　　　N.C.
Your love alone　　　　　　is not enough.

Instrumental | A　　| A　　| Em　　| Em　　|

| G　　| A　　| D　　| D　　‖

Bridge 3

A　　　　　　　　　Em　　G
　La, la, la, la, la, la, la, la.

　　　　　　　　　　　　　　　　D A Em
I could have shown you, shown you how to cry.

Outro

(Em)　　　　　D A Em　　　　　　　　D A Em
Your love alone　　　　　　is not enough,

　　　　　　　　　D A Em
Your love alone.

189

Warwick Avenue

Words & Music by James Hogarth, Aimee Duffy & Francis Eg White

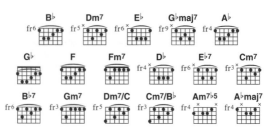

Intro | B♭ | Dm7 | E♭ | G♭maj7 ‖

Verse 1

(G♭maj7) B♭   Dm7
When I get to Warwick Ave - nue,

         E♭   G♭maj7
Meet me by the entrance of the tube.

           B♭   Dm7
We can talk things over a little time,

          E♭   G♭maj7
Promise me   you won't stand by the light.

        B♭   Dm7
When I get to Warwick Ave - nue,

       E♭   G♭maj7
Please drop the past and be true.

           B♭   Dm7
Don't think we're okay just because I'm here,

        A♭   G♭   F
You hurt me bad but I won't shed a tear.

Chorus 1

B♭   Fm7   D♭   E♭7
I'm leaving you for the last time ba - by,

Cm7   B♭7   A♭   Gm7
  You think you're loving but you don't love me.

Cm7   Gm7   Fm7
I've been con - fused, out of my mind lately,

E♭ N.C.   Dm7 Dm7/C Gm7
  You think you're loving but I want to be   free,

      Cm7   B♭
Baby, you've hurt me.

Link 1 | B♭ | Dm7 | E♭ | G♭maj7 ‖

Verse 2

(G♭maj7) B♭   Dm7
When I get to Warwick Ave - nue,

            E♭   G♭maj7
We'll spend an hour but no more than two.

      B♭   Dm7
Our only chance to speak once more,

             E♭   G♭maj7
I showed you the answers, now here's the door.

      B♭   Dm7
When I get to Warwick Ave - nue,

          A♭   G♭   F
I'll tell you baby that we're through.

Chorus 2

B♭   Fm7   D♭   E♭7
I'm leaving you for the last time ba - by,

Cm7   B♭7   A♭   Gm7
  You think you're loving but you don't love me.

Cm7   Gm7   Fm7
I've been con - fused, out of my mind lately,

E♭ N.C.   Dm7 Dm7/C Gm7
  You think you're loving but you don't love   me,

Cm7   Fm7 E♭   B♭
I want to be free, baby, you've hurt me.

Bridge

Cm7   Cm7/B♭   Am7♭5   A♭maj7
All the days spent to - gether, I wished for better,

     Gm7   Cm7
But I didn't want the train to come.

     Cm7/B♭ Am7♭5   A♭maj7
Now it's de - parted, I'm broken hearted,

     Gm7
Seems like we never started.

Cm7   Fm7   A♭
All those days spent to - gether when I wished for better,

     Gm7   G♭   F
And I didn't want the train to come.____

Instrumental | B♭ Fm7 | D♭ E♭7 | Cm7 B♭7 |

                | A♭ Gm7 | Cm7 Cm7/B♭ | Fm7 ||

Outro

E♭ N.C.   Dm7 Dm7/C Gm7
  You think you're loving but you don't love me,

  Cm7   Fm7   E♭   B♭
I want to be free, baby, you hurt me.

     Dm7 Dm7/C Gm7 Cm7   Fm7
You don't love me, I want to be free,

     E♭   B♭
Baby, you've hurt me.